L211

The Open University

Cultures

3

Envol

Upper intermediate French

This publication forms part of an Open University course L211 *Envol*: upper intermediate French. Details of this and other Open University courses can be obtained from the Student Registration and Enquiry Service, The Open University, PO Box 197, Milton Keynes MK7 6BJ, United Kingdom: tel. +44 (0)845 300 60 90, email general-enquiries@open.ac.uk

Alternatively, you may visit the Open University website at www.open.ac.uk where you can learn more about the wide range of courses and packs offered at all levels by The Open University.

To purchase a selection of Open University course materials visit www.ouw.co.uk, or contact Open University Worldwide, Walton Hall, Milton Keynes MK7 6AA, United Kingdom for a brochure. tel. +44 (0)1908 858793; fax +44 (0)1908 858787; email ouw-customer-services@open.ac.uk

The Open University
Walton Hall, Milton Keynes
MK7 6AA

First published 2009.

Edited and designed by The Open University.

Typeset by The Open University.

Printed and bound in the United Kingdom by Latimer Trend & Company Ltd, Plymouth.

ISBN 978 0 7492 1741 9

1.1

The paper used in this publication contains pulp sourced from forests independently certified to the Forest Stewardship Council (FSC) principles and criteria. Chain of custody certification allows the pulp from these forests to be tracked to the end use (see www.fsc.org).

Table des matières

L211 Course team

Central course team

Sue Brennan (course team secretary)

Xavière Hassan (author, coordinator, co-chair)

Marie-Noëlle Lamy (author, coordinator)

Tim Lewis (author, coordinator, co-chair)

Françoise Parent-Ugochukwu (author)

Hélène Pulker (author, coordinator)

Shirley Scripps (course manager)

Elodie Vialleton (author, coordinator)

Course production team

Mandy Anton (graphic designer)

Guy Barrett (interactive media developer)

Catherine Bedford (editor)

Lene Connolly (print buying controller)

Beccy Dresden (media project manager)

Kim Dulson (assistant print buyer)

Vicky Eves (graphic artist)

Vee Fallon (media assistant)

Elaine Haviland (editor)

Neil Mitchell (graphic designer)

Sam Thorne (editor)

Nicola Tolcher (media assistant)

Consultant authors (Unit 3)

Cécile Vélu

Bernard Haezewindt

Critical reader (Unit 3)

Hannah Ikin

External assessor

Nicole McBride (London Metropolitan University)

Audio-visual production

Audio and video sequences produced by Autonomy Multimedia and Mediadrome for Learning and Teaching Solutions (Open University).

Original L211 audio and video sequences compiled and produced by the BBC.

Special thanks

The course team would like to thank everyone who contributed to the course by being filmed or recorded, or by providing photographs.

The course team would also like to acknowledge the authors and consultant authors of the first edition of L211: Bernard Haezewindt, Stella Hurd, Marie-Noëlle Lamy, Hélène Mulphin, Jenny Ollerenshaw, Duncan Sidwell, Pete Smith, Anne Stevens, Peregrine Stevenson (authors); Martyn Bird, Marie-Thérèse Bougard, Chloë Gallien, Marie-Marthe Gervais-Le Garff, Christie Price, Peter Read, Yvan Tardy (consultant authors).

Cultures

Dans ce livre, vous allez aborder la culture francophone. Vaste domaine ! Pour chacun des thèmes que nous avons choisi de vous présenter (la culture accessible à tous ; la vitalité du théâtre français à travers l'histoire ; les musiques populaires ; le cinéma en France et hors de France), des dizaines d'autres pourraient venir à l'esprit. Cette unité a pour but, à travers nos choix, de vous donner l'équipement linguistique nécessaire pour aller explorer plus avant vos propres thèmes de prédilection.

Sommaire

Le tableau ci-dessous présente la structure des sessions qui composent ce livre. La colonne de gauche indique le contenu thématique et la colonne de droite énumère les points clés de chaque session.

Session 1 La culture pour tous

Dans cette première session, vous allez découvrir comment, avec plus ou moins de succès, la France s'efforce de démocratiser et de décentraliser l'accès à la culture. Grâce à l'aide de l'État, des maisons de la culture se sont créées dans les grandes villes et proposent, comme à Grenoble, par exemple, des spectacles de haute qualité. Le théâtre, la danse et la musique y sont à l'honneur. Sur le terrain, très près du public et de ses besoins en matière de culture, d'éducation et de formation, c'est le réseau des maisons des jeunes et de la culture qui prend le relais. Vous découvrirez leur mission dans la deuxième partie de cette session. En dernière partie, vous aborderez la question du graffitisme, un mouvement artistique né des cultures urbaines dans la deuxième moitié du XXe siècle, et l'impact de celui-ci dans nos villes.

Points clés

- G3.1 Exprimer le souhait ou la crainte avec le subjonctif
- G3.2 La formation du subjonctif présent
- G3.3 La formation du passif
- G3.4 L'utilisation du passif
- C3.1 André Malraux
- C3.2 Les maisons des jeunes et de la culture
- C3.3 Le lexique du graffitisme
- O3.1 Rédiger un résumé

MC2, la nouvelle maison de la culture grenobloise

Les maisons de la culture

Vous allez d'abord faire un travail préparatoire afin de réfléchir à différentes formes artistiques. Puis vous allez lire un texte qui vous permettra de mieux comprendre le concept des maisons de la culture en France. À travers l'exemple de la maison de la culture de Grenoble, vous allez considérer la vocation des maisons de la culture et le public auquel elles s'adressent. À partir des textes proposés, vous étudierez aussi la formation et l'utilisation du subjonctif présent.

Activité 3.1.1

Parmi les noms ci-dessous, lesquels reconnaissez-vous et à quel domaine artistique pouvez-vous les associer ? Vous pouvez si vous le voulez faire une recherche dans un dictionnaire ou sur l'Internet. Attention, certains noms appartiennent à plusieurs domaines.

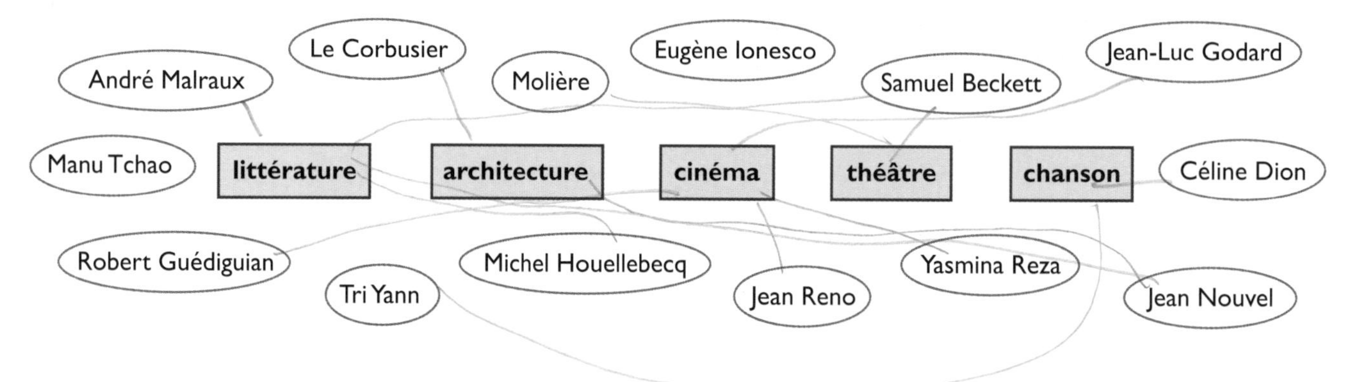

Activité 3.1.2

A

Lisez le texte suivant et répondez aux questions ci-dessous.

> À la fin des années cinquante, le concept de la « maison de la culture » a été lancé en France par l'écrivain André Malraux, qui a occupé le poste de ministre de la Culture sous le général de Gaulle de 1959 à 1969. Pendant cette période il a cherché à mettre sur pied ces centres de culture, qu'il appelait « les cathédrales du XXe siècle ».
>
> La maison de la culture de Grenoble a été la première à être installée dans des bâtiments spécialement construits à cet usage et non pas dans des locaux existants adaptés, comme cela avait été le cas ailleurs. Malraux, qui a confié les travaux au célèbre architecte André Wogensky, disciple de Le Corbusier, souhaitait que le public puisse bénéficier sous un seul toit des arts de la scène, des arts plastiques et d'une bibliothèque, et qu'il ait même la possibilité d'emprunter des œuvres d'art. Pour Malraux, la maison de la culture devait transmettre le patrimoine classique et moderne.
>
> Le concept de la « maison de la culture » visait à décentraliser la culture en France, jusque-là concentrée sur Paris, et à permettre à un plus grand nombre de personnes d'y accéder.
>
> L'ouverture de la maison de la culture de Grenoble a elle-même coïncidé avec l'arrivée de la flamme olympique en 1968. Des milliers de Grenoblois qui ont assisté aux cérémonies ont profité de l'occasion pour pénétrer pour la première fois dans la maison de la culture.
>
> Depuis 1968, les choses ont beaucoup changé. Quoiqu'encore subventionnée à 80% par les pouvoirs publics dans les années quatre-vingt-dix, la maison de la culture de Grenoble a subi des changements importants. Par exemple, pour quelques-uns le nom et le concept étaient devenus un peu désuets. À cause de sa forme architecturale, elle a été rebaptisée « Le Cargo » par Jean-Claude Gallotta, pour qui elle ressemblait plutôt à un navire dans lequel on travaillait, qu'à une cathédrale, comme le pensait Malraux. Ce surnom lui est resté jusqu'en 1998. Après d'importants travaux de rénovation, la maison de la culture a rouvert ses portes en 2004 et aujourd'hui s'appelle « MC2 ».

Notes culturelles

Le Corbusier architecte et urbaniste naturalisé français (1887–1965), né en Suisse. En explorant l'interpénétration des espaces, il a renouvelé l'architecture au plan international.

Jean-Claude Gallotta l'une des figures de proue de la nouvelle chorégraphie française. Jean-Claude Gallotta a été directeur de la maison de la culture de Grenoble dans les années quatre-vingt-dix.

1. Qui a lancé l'idée de la maison de la culture en France ?
2. Qu'est-ce qui différencie la maison de la culture de Grenoble des autres établissements du même genre ?
3. D'après le texte, à quoi servent les maisons de la culture en France ?
4. Quel grand événement s'est produit à Grenoble en même temps que l'ouverture de la maison de la culture ?
5. D'après le texte, quels sont les deux surnoms qui sont donnés à la maison de la culture de Grenoble ?

B

Quelle image est donnée à la maison de la culture de Grenoble par les deux appellations « Le Cargo » et « MC2 » ? Pour répondre, utilisez l'information du texte ainsi que votre imagination.

C3.1 André Malraux

André Malraux (1901–1976) est un écrivain français, homme politique et critique d'art. Pendant la guerre civile espagnole, il a combattu du côté républicain et les expériences qu'il a vécues ont servi de base à son roman *L'Espoir*. Lors de la Seconde Guerre mondiale, il a rejoint la Résistance en France. En 1959, le président de Gaulle l'a nommé ministre de la Culture.

André Malraux

Activité 3.1.3

A

En utilisant les expressions de l'encadré ci-dessous, complétez les phrases 1 à 4. Attention, il y a deux possibilités par phrase.

Malraux voulait • Malraux souhaitait • Malraux voulait que • Malraux désirait que

1 __________ la maison de la culture puisse transmettre le patrimoine classique et moderne.

2 __________ donner au public la possibilité d'emprunter des œuvres d'art.

3 __________ permettre au public de bénéficier sous un seul toit des arts de la scène, des arts plastiques et d'une bibliothèque.

4 __________ la culture devienne plus facilement accessible à tous.

B

En tenant compte des quatre phrases que vous venez de reconstruire, complétez les deux structures suivantes avec l'expression qui convient, « verbe au subjonctif » ou « verbe à l'infinitif ».

1 Malraux veut/souhaite/désire + ...

2 Malraux veut/souhaite/désire que + ...

G3.1 Exprimer le souhait ou la crainte avec le subjonctif

Les verbes « vouloir, souhaiter, désirer » doivent être suivis du subjonctif lorsqu'ils introduisent une construction commençant par « que » :

> Malraux [...] **souhaitait que** le public **puisse** bénéficier sous un seul toit des arts de la scène, des arts plastiques et d'une bibliothèque.
>
> Malraux **souhaitait que** [le public] **ait** même la possibilité d'emprunter des œuvres d'art.

Beaucoup d'autres verbes exprimant un souhait, une crainte, mais aussi un ordre, une volonté ou un doute, sont ainsi suivis du subjonctif. Par exemple :

- vouloir que
- aimer que
- exiger que
- craindre que

Un client **exige qu'**on lui **rembourse** son billet car le spectacle a commencé en retard.

Nous **craignons que** ce nouveau film ne **plaise** pas beaucoup au public.

Attention, le verbe « espérer » est suivi du subjonctif quand la phrase est négative et de l'indicatif quand la phrase est affirmative :

Elle n'espère plus (négatif) qu'il **vienne** (subjonctif).

J'espère (affirmatif) que tu **vas** bien (indicatif).

Activité 3.1.4

A

Dans les six phrases ci-dessous, chaque verbe en gras est suivi de l'indicatif ou du subjonctif. Cochez la colonne qui convient. Éventuellement relisez le texte et la grammaire ci-dessus.

	Subjonctif	Indicatif
1 Elle **propose** que l'atelier ait lieu régulièrement.	☐	☐
2 Tu **penses** que tu as toujours raison ?	☐	☐
3 **J'aimerais** que le projet ait du succès.	☐	☐
4 Nous **espérons** que vous pourrez participer au jeu.	☐	☐
5 Elles s'**imaginent** que vous êtes comédiens.	☐	☐
6 Il **a interdit** que le public accède aux coulisses.	☐	☐

B

Écrivez trois phrases, de préférence concernant la culture, à l'aide de verbes de souhait, suivis de l'indicatif.

Activité 3.1.5

A

Faites correspondre les verbes à l'indicatif (colonne de gauche) à leur forme au subjonctif (la colonne de droite).

Indicatif	Subjonctif
1 je joue	(a) qu'ils réservent
2 tu donnes	(b) qu'elle rembourse
3 elle rembourse	(c) que tu donnes
4 nous commandons	(d) que vous achetiez
5 vous achetez	(e) que je joue
6 ils réservent	(f) que nous commandions

B

Complétez les phrases suivantes avec le verbe au subjonctif qui convient.

> commandions • réservent • joue • accordes • rembourse • achetiez

1 Elle veut que je ________ du violon pendant la réception.

2 Je crains que tu n'________ pas assez d'importance à cet événement.

3 Vous voulez qu'il ________ tous les billets du concert annulé ?

4 Il souhaite que nous ________ une pizza avant d'aller au cinéma.

5 Je désire que vous ________ trois billets pour le spectacle de ce soir.

6 Il faut qu'elles ________ leurs places bien à l'avance.

C

Quelles sont les terminaisons du subjonctif présent pour un verbe régulier tel que « donner » ?

1 que je donn-
2 que tu donn-
3 qu'il/elle/on donn-
4 que nous donn-
5 que vous donn-
6 qu'ils/elles donn-

G3.2 La formation du subjonctif présent

En règle générale, on forme le subjonctif présent sur la racine (indiquée en gras) de la troisième personne du pluriel du présent de l'indicatif. Par exemple :

Infinitif	3e personne du pluriel	Subjonctif
réserver	ils **réserv**ent	qu'ils **réservent**
venir	ils **vienn**ent	qu'ils **viennent**
plaire	ils **plais**ent	qu'ils **plaisent**
vendre	ils **vend**ent	qu'ils **vendent**

Pour conjuguer le verbe, on ajoute les terminaisons suivantes : (je) **-e**, (tu) **-es**, (il/elle) **-e**, (nous) **-ions**, (vous) **-iez**, (ils/elles) **-ent**. Par exemple :

Je veux que tu réserv**es** ton billet à l'avance.

Le directeur souhaite que le spectacle plais**e** au public.

Elle aimerait que nous vend**ions** notre appartement.

Les verbes irréguliers, comme « avoir », « être » ou « pouvoir », forment leur subjonctif sur une racine différente, parfois suivie d'une terminaison différente. Il est utile d'apprendre par cœur les verbes irréguliers les plus fréquents, par exemple :

Avoir	Être	Pouvoir
que j'aie	que je sois	que je puisse
que tu aies	que tu sois	que tu puisses
qu'il/elle ait	qu'il/elle soit	qu'il/elle puisse
que nous ayons	que nous soyons	que nous puissions
que vous ayez	que vous soyez	que vous puissiez
qu'ils/elles aient	qu'ils/elles soient	qu'ils/elles puissent

Le public exige que nous **ayons** aussi des activités adaptées aux plus jeunes.

On demande que vous **soyez** inscrits à la MJC avant de participer aux activités.

Le ministre souhaite que la France **puisse** exporter ses produits culturels plus facilement.

Activité 3.1.6

A

Complétez les phrases ci-dessous à l'aide des verbes entre parenthèses conjugués au subjonctif.

1. Ils aimeraient que le répertoire (plaire) ______ à tous les publics.
2. Elle préfère que nous (dire) ______ la vérité.
3. Je désire qu'elles (prendre) ______ un abonnement au cinéma.
4. Le directeur voudrait que le public (pouvoir) ______ emprunter des œuvres d'art.
5. Les professeurs souhaitent que tous les enfants (être) ______ inscrits à la « MC2 ».

B

C'est votre anniversaire. Soufflez les bougies et formulez trois souhaits vous concernant, tous suivis du subjonctif !

Pourvu que mon souhait se réalise !

Les maisons des jeunes et de la culture (MJC)

Vous allez maintenant découvrir le monde des MJC, ou maisons des jeunes et de la culture. Ce sont des associations qui organisent des activités artistiques, sportives ou autres, en fonction des besoins du public. Dans une MJC, on peut s'inscrire à des cours de théâtre, de danse, de musique, mais aussi à des cours de travaux manuels, de cuisine, ou même de rattrapage scolaire.

Vous découvrirez le fonctionnement de ces centres et vous étudierez aussi la voix passive.

Activité 3.1.7

A

Choisissez deux des photos ci-dessous, prises au cours d'ateliers organisés par une MJC, et imaginez le commentaire qui pourrait les accompagner dans une brochure publicitaire présentant le programme.

B

Lisez et complétez le texte ci-contre, en utilisant les mots de l'encadré ci-dessous.

> partager • diversité • dialogue • convivialité • créativité • âge • activités • éducatives • besoins • participation • écouter

C

Relisez le texte ci-contre et répondez aux questions suivantes.

1. Quelle est la mission de la MJC de Wasquehal ?
2. À qui s'adressent les activités de cette MJC ?
3. Quels types d'action organise-t-on dans cette MJC ?
4. D'après l'auteur, qu'est-ce qui fait la richesse de la MJC ?

C3.2 Les maisons des jeunes et de la culture

Les maisons des jeunes et de la culture sont des associations d'éducation populaire. Issues des mouvements de la Résistance et de la Libération, elles ont gardé leur attachement à un projet permettant le retour à la paix. Elles sont laïques et indépendantes, c'est-à-dire libres de toute affiliation à un parti politique ou à une religion. Elles s'adressent ainsi à chacun, quelles que soient sa culture, ses croyances ou ses préférences politiques. Il existe actuellement plus de 1 700 MJC sur tout le territoire français et toutes agissent en concertation pour atteindre un objectif commun : rendre la culture accessible à tous et aider les jeunes à devenir des citoyens actifs. Leurs actions sur le terrain touchent aux domaines social, éducatif, culturel et civique.

ÉDITO

Se sentir bien dans sa ville, en connaître les ressources et apprécier tous les services qu'elle peut offrir est important pour rendre la vie quotidienne plus agréable.

Accueillir, ______, conseiller, ______, divertir, telle est la mission de la maison des jeunes et de la culture de Wasquehal.

Lieu privilégié de ______, il permet d'avoir des rencontres, du ______, de l'écoute et de la détente.

Depuis de nombreuses années, les différents directeurs de la MJC mettent leur dynamisme et leur ______ au service de chacun et vous proposent, quels que soient votre ______, votre situation et vos ______, de multiples ______. Elles se traduisent par des actions ______, de loisirs, culturelles et socioprofessionnelles qui s'adressent à tous.

L'identité et l'originalité de la MJC reposent sur la ______ active des usagers. L'animation d'une ville, c'est l'affaire de tous. Chacun peut y apporter sa pierre. C'est ce qui en fait aussi toute la ______ et la richesse.

Alors n'hésitez pas, poussez la porte du centre socioculturel. Une équipe de professionnels sera heureuse de vous y accueillir tout au long de l'année.

(Raymonde Claeyman, « Édito », MJC de Wasquehal, http://mjcwasquehal.com/mjc_fichiers/edito.html, dernier accès le 1 septembre 2008)

Note culturelle

Wasquehal commune qui se situe dans le département du Nord, à proximité de Lille

Activité 3.1.8

A

Vous souhaitez devenir membre de la MJC de Wasquehal. Lisez ci-dessous son règlement intérieur et faites la liste de tout ce que vous devez faire.

RÈGLEMENT INTÉRIEUR

Toute personne désireuse de participer aux activités de la MJC doit être adhérente.

Il sera demandé à chaque participant :

- de prendre une carte d'adhésion valable 1 an (durée de validité septembre à août)
- de fournir une photo d'identité.

Les inscriptions aux différentes activités auront lieu durant le mois de septembre du lundi au vendredi de 14 H à 18 H.

L'inscription est prise en compte dès que :

- la fiche sanitaire est complétée (pour les mineurs) : selon l'activité, un certificat médical pourra être demandé.
- la fiche de renseignements pour les 18–25 ans et + de 25 ans est remplie.

Toute activité est à régler au début de l'année.

Le paiement échelonné est accepté en trois fois.

Mode de paiements :

Chèques, espèces, chèque J.'Loisirs.

Aucune réduction ou aucun remboursement ne sera pris en compte, sauf sur présentation d'un certificat médical.

Le non-respect des règles de vie dans les activités entraînera une annulation immédiate, sans remboursement (ex : comportement, horaires...).

(Direction de la MJC de Wasquehal, « Règlement intérieur », MJC de Wasquehal, http://mjcwasquehal.com/mjc_fichiers/reglement_interieur.html, dernier accès le 1 septembre 2008)

B

Trouvez dans le texte les phrases équivalentes à celles proposées ci-contre.

Exemple

On demandera à chaque participant de prendre une carte d'adhésion.

→ *Il sera demandé à chaque participant de prendre une carte d'adhésion.*

1 On prend en compte l'inscription.
2 On remplit la fiche de renseignements.
3 On accepte le paiement échelonné en trois fois.
4 On ne prendra en compte aucune réduction.

G3.3 La formation du passif

Si l'on observe le style du règlement intérieur de la MJC de Wasquehal, on remarque que beaucoup de phrases sont construites à la voix passive, par exemple :

L'inscription **est prise en compte** dès que :

- la fiche sanitaire **est complétée**
- la fiche de renseignement **est remplie**.

Comment passer de la voix active à la voix passive ? Voici un exemple simple :

Phrase active : L'acteur **lit** le texte. (L'acteur, sujet de la phrase active, fait l'action exprimée par le verbe « lire ».)

Phrase passive : Le texte **est lu** par l'acteur. (Le texte, sujet de la phrase passive, subit l'action exprimée par le verbe « être lu ».)

Que se passe-t-il quand le verbe de la phrase active est à un temps autre que le présent ?

La MJC **proposera** beaucoup d'activités sportives.
→ Beaucoup d'activités sportives **seront proposées** par la MJC.

La MJC **a proposé** beaucoup d'activités sportives.
→ Beaucoup d'activités sportives **ont été proposées** par la MJC.

Le temps de l'auxiliaire « être » dans la phrase passive correspond au temps du verbe dans la phrase active.

Activité 3.1.9

Réécrivez les phrases ci-dessous à la voix passive.

1. La MJC offre de nombreux services à ses adhérents.
2. L'année dernière, on a proposé beaucoup d'activités artistiques et sportives.
3. Cette année, on développera plusieurs actions éducatives et socioprofessionnelles.
4. L'équipe d'animation vous attend avec impatience.
5. Une équipe de professionnels vous accueillera tout au long de l'année.

G3.4 L'utilisation du passif

Vous avez sans doute noté le ton officiel du règlement intérieur de la MJC de Wasquehal :

Il **sera demandé** à chaque participant de fournir une photo d'identité.

Le paiement échelonné **est accepté** en trois fois.

Aucune réduction [...] ne **sera prise en compte**, sauf sur présentation d'un certificat médical.

L'utilisation de la voix passive donne à la phrase un caractère plus impersonnel. Ce style convient en général aux documents officiels ou contractuels.

La voix passive est aussi utilisée lorsque l'on ne connaît pas l'auteur d'une action ou lorsque l'on ne souhaite pas en faire mention. Dans ce cas, on omet la partie de la phrase introduite par « par » :

L'affiche a été arrachée du mur **par un vandale**.

→ L'affiche a été arrachée du mur. (On ne sait pas qui a arraché l'affiche ou on ne veut pas suggérer de responsable.)

Attention, la transformation de la voix active en voix passive n'est possible qu'avec les **verbes à construction directe**. Par exemple, on peut construire le passif avec « écrire », parce que ce verbe peut avoir un complément d'objet direct, comme « ce poème » dans l'exemple ci-dessous :

Baudelaire a écrit ce poème.

→ Ce poème **a été écrit** par Baudelaire.

Mais les verbes qui ont un complément d'objet indirect, comme « accéder à » (dans l'exemple ci-dessous) ne se conjuguent pas au passif :

Prenez le troisième couloir à droite et vous accéderez à l'auditorium.

Activité 3.1.10

A

Cochez parmi les phrases suivantes celles qui peuvent être mises à la voix passive.

		Oui	Non
1	Juliette a téléphoné à la MJC pour s'inscrire.	☐	☑
2	Malik anime un atelier de danse pour les tout-petits.	☑	☐
3	Pour vous abonner au bulletin de la MJC, envoyez-nous un email.	☐	☑
4	On organise une grande parade de costumes d'Halloween en fin de journée.	☑	☐

B

Vous êtes en train de créer une association sportive ou d'ouvrir un complexe sportif pour les jeunes de votre quartier.

Rédigez, en 150 mots environ, le règlement intérieur de votre association en utilisant des phrases à la forme passive.

L'art dans la rue

Transformer la rue en un lieu d'expression artistique mais aussi en un lieu de réflexion sur l'art et la place qu'il occupe dans notre quotidien, tel est le défi que semblent lancer les « graffeurs ». Au moyen de dessins réalisés le plus souvent sur des murs à la bombe de peinture, ces artistes de rues interpellent le passant, le surprennent parfois, en s'appropriant de manière originale l'espace urbain. Certaines MJC ont su répondre à la demande du public en intégrant à leurs programmes des ateliers de graffitisme. Dans les textes qui suivent, vous allez aborder quelques questions liées au graffitisme et améliorer votre technique du résumé de textes.

Activité 3.1.11

A

Regardez les photos ci-contre qui illustrent un « graff », un « tag » et un « flop » et notez en quelques phrases ce qui différencie ces trois styles graphiques.

Graff

Tag

Flop

B

Que pensez-vous de ces trois styles graphiques ? Les considérez-vous plutôt comme des formes d'art ou comme des formes de vandalisme ? Expliquez votre point de vue en environ 50 mots.

C3.3 Le lexique du graffitisme

Le **graffiti** se répand de plus en plus sur les murs des villes depuis le XXe siècle. Voici quelques mots utiles qui vous permettront de pouvoir en parler en connaisseur !

Le **graffitisme** est une activité qui regroupe à la fois le tag et le graff.

Le **graff** est un grand dessin ou même une fresque, comportant des éléments calligraphiés et peint à la bombe sur un mur ou tout autre espace public. Ce dessin est en général autorisé.

Le **tag** est un signe de reconnaissance, une sorte de signature tracée ou peinte sur un mur ou ailleurs. Son graphisme est stylisé. Réalisé rapidement et plutôt en cachette, le tag est illégal et souvent associé à un acte de vandalisme.

Le **flop** est un style qui est à mi-chemin entre le tag et le graff. Il correspond à une façon particulière de dessiner les lettres, en leur donnant un aspect gonflé grâce à un jeu d'ombres.

Les artistes qui pratiquent ces styles sont des **graffeurs**, des **tagueurs** et des **flopeurs.**

Le **sketch** est une esquisse rapide qui correspond à la première étape du graff.

La **pièce** est le nom que l'on donne au dessin ou à la fresque d'un graffeur.

Le **crew** est le nom que l'on donne à un groupe organisé de graffeurs. Il s'identifie par un nom composé d'une série de lettres ou de chiffres. Par exemple, « C29 ».

Activité 3.1.12

A

Lisez le texte ci-dessous et, pour chacune des idées contenues dans le texte que vous trouverez à la page suivante, cochez la colonne qui convient, selon que les idées du texte sont des idées (a) très importantes ou (b) moins importantes pour comprendre l'ensemble de l'article.

Ne pas confondre tags et graffs

Fais graff à mon conteneur !

Pour redonner de la couleur aux poubelles calcinées, la collectivité a encouragé un groupe de jeunes graffeurs de la Maison de Quartier à laisser parler sa créativité.

Une bombe de peinture à la main, ils ont montré à tous que la jeunesse des quartiers était capable d'autre chose que de casser. Durant les vacances de la Toussaint, un groupe d'une vingtaine de jeunes de Bellevue a en effet relooké quatre conteneurs éco 5 000 qui étaient dans un bien piteux état. « Plusieurs conteneurs avaient été endommagés par des incendies volontaires », déplore Martine Dallet, responsable de la mairie de quartier. « En juin dernier, durant une réunion plénière du Conseil Consultatif de Quartier, certains habitants ont émis l'idée qu'il serait judicieux de confier la rénovation de ces bacs à des jeunes de Bellevue. »

Quand on connaît le coût d'un conteneur neuf (2 300 € environ), la rénovation de quatre de ces poubelles s'avère un projet intéressant sur le plan économique, mais surtout bénéfique sur le plan culturel. Grâce à l'action conjointe de la mairie de quartier, de la direction propreté déchets, de la maison de quartier de Bellevue, le tout coordonné par le service développement social urbain de BMO, les artistes en herbe ont pu commencer leur travail d'embellissement, démontrant au passage qu'il ne fallait pas confondre « tags » avec « graffs » : « En octobre dernier, j'ai été chargé de constituer un groupe de jeunes, motivés par le projet », explique Aziz, animateur loisirs jeunes à la maison de quartier de Bellevue. « Avant d'entamer les ateliers graffs sous la direction technique de Nazeem, un artiste bien connu sur Brest, nous avons commencé par réfléchir à une thématique qui servirait de fil conducteur aux motifs de décorations des conteneurs. Les jeunes ont choisi les quatre éléments : l'eau, l'air, la terre et le feu. »

Validée par les élus, la proposition a ensuite rapidement débouché sur la mise en branle du chantier, du côté de la rue Borgnis Desbordes à Kergoat. « Les jeunes ont travaillé durant trois jours », précise Aziz. « Leur réalisation n'a laissé personne indifférent. D'ailleurs, durant ces journées, nous avons reçu le renfort de nombreux autres jeunes qui ont souhaité se greffer au projet. »

Les habitants se sont eux aussi prêtés au jeu et nombreux sont aujourd'hui les riverains qui aimeraient voir un peu d'étincelles de couleurs sur leurs conteneurs. Séduites par l'initiative, d'autres structures de Bellevue ont quant à elles sollicité Aziz et ses graffeurs qui, grâce à quelques coups de bombes bien sentis, ont définitivement redonné ses lettres de noblesse à un art de la rue à découvrir.

(Sillage/Mairie de Brest, « Fais graff à mon conteneur ! », Sillage 127, décembre 2007–janvier 2008, www.mairie-brest.fr/sillage/sillage_127.pdf, dernier accès le 1 septembre 2008)

Vocabulaire

fais graff à mon conteneur jeu de mot basé sur « gaffe » et « graff ». « Fais gaffe à... » signifie en langage familier « fais attention à... »

relooké (fam.) re-décoré

mise en branle mise en route

se greffer au projet s'ajouter à la liste des participants du projet

quelques coups de bombes bien sentis quelques coups de peinture bien appliqués

Notes culturelles

Bellevue et Kergoat deux quartiers de Brest, ville située dans le Finistère, en Bretagne

BMO Brest métropole océane: communauté urbaine de Brest qui comprend huit communes autour de Brest

Idées contenues dans le texte

		(a)	(b)
1	Les jeunes des quartiers ne sont pas que des casseurs.	☐	☐
2	Des jeunes de Bellevue ont rénové quatre conteneurs pendant les vacances de la Toussaint.	☐	☐
3	L'idée de s'adresser aux jeunes des quartiers est venue des habitants du quartier.	☐	☐
4	Le projet de rénovation est intéressant économiquement.	☐	☐
5	Le projet de rénovation est bénéfique sur le plan culturel.	☐	☐
6	Le projet est soutenu par la mairie, la maison de quartier et la direction propreté déchets.	☐	☐
7	Il ne faut pas confondre « tags » et « graffs ».	☐	☐
8	Aziz, animateur de quartier, est chargé de constituer un groupe de jeunes.	☐	☐
9	L'atelier de graphisme est animé par Nazeem, un expert local.	☐	☐
10	Les quatre éléments : l'eau, la terre, le feu et l'air, constituent la thématique du projet.	☐	☐
11	Le projet a été validé par les élus locaux et le chantier a démarré.	☐	☐
12	D'autres jeunes rejoignent le groupe d'artistes.	☐	☐
13	Les riverains sont satisfaits et souhaitent que d'autres conteneurs soient aussi repeints.	☐	☐
14	Aziz et ses graffeurs ont été sollicités pour participer à d'autres projets similaires.	☐	☐

B

On vous a demandé de préparer deux résumés de l'article pour deux lecteurs différents (un contribuable local et un jeune artiste). Sans les rédiger, notez quelles idées, parmi celles proposées ci-dessus, vous minimiseriez ou abandonneriez pour l'un et pour l'autre destinataire.

O3.1 Rédiger un résumé

Voici quelques conseils utiles pour écrire un résumé.

1 Étudiez avec attention le document que vous devez résumer et assurez-vous que vous le comprenez dans sa totalité. Relisez-le plusieurs fois pour avoir une idée précise de son contenu.

2 Si vous devez résumer un extrait audio ou vidéo, pensez à prendre en compte la voix du narrateur, s'il y en a un.

3 Faites le tri par ordre d'importance de toutes les idées qui sont contenues dans le document. Par exemple, « idée(s) principale(s) », « idée(s) secondaire(s) », « détail(s) sans importance ». C'est votre connaissance des besoins et attentes de votre lecteur qui doit vous influencer pour le choix des priorités.

4 Avant de commencer, il est préférable de faire un plan pour être sûr(e) que votre résumé sera clairement structuré.

5 Écrivez avec simplicité, en économisant vos mots. Prenez des notes en français : n'essayez pas de traduire mot-à-mot le document d'origine.

6 Composez votre résumé en utilisant vos propres mots à partir d'une sélection de phrases importantes, tirées du document d'origine.

7 Le résumé a une longueur limitée, calculée en nombre de mots. En général ce chiffre est proportionnel au nombre de mots qui compose le document d'origine. Il est important de respecter la limite imposée.

Activité 3.1.13

Préparez un résumé de 150 mots maximum du texte « Fais graff à mon conteneur » (qui contient 442 mots) en vous concentrant sur les idées principales relevées dans l'activité précédente. Pour préparer ce travail, relisez les conseils ci-dessus et servez-vous de vos réponses aux questions de l'activité précédente en choisissant l'un des deux types de lecteur pour qui écrire votre texte.

Activité 3.1.14

A

Lisez le texte ci-dessous et répondez aux questions de la page suivante.

Pour Nazeem, « le graff est une vraie discipline »

Dans l'univers du graff brestois, Nazeem est ce qu'on pourrait appeler un incontournable. Tout le monde le connaît et le respecte. Il faut dire que depuis qu'il a découvert cet univers en 1990, en même temps qu'il s'est mis à la peinture, il n'a jamais cessé de faire des murs du port, du parking de Kerfautras, ou autre espace public autorisé, son domaine de création. « J'aime peindre dehors. C'est quelque chose dont je ne peux pas me passer. Si j'arrête, j'ai la main qui tremble. » Conscient d'être un modèle voire un maître pour les jeunes graffeurs, Nazeem ne se considère pas pour autant au-dessus d'eux. « L'une des particularités de Brest est la bonne ambiance entre les graffeurs. Il y a un vrai échange. Les cultures se mélangent. Les nouveaux qui sortent des écoles de BD ou des Beaux-Arts apportent autre chose. » S'il devait le faire, la seule chose qu'il exigerait des plus jeunes est « qu'ils graffent consciencieusement. Il faut savoir d'où vient la discipline qu'on a choisie, connaître son histoire. Un graffeur qui perdure est quelqu'un qui a fait attention à tout ça. »

Accepter l'éphémère

Pour lui, la disparition d'un graff tout juste après qu'il l'ait achevé, n'est pas un problème. Au contraire. « Dès l'instant que tu peins, ça ne t'appartient plus. Même si c'est une œuvre en soi, on peut en faire une autre dessus. Il faut l'accepter. Ceux qui râlent contre ça n'ont rien compris. » Nazeem tient quand même à garder une trace. Alors il prend ses œuvres en photo et les conserve dans un book qui décrit parfaitement son style. « Je suis « old school », c'est-à-dire le courant du début des années quatre-vingt-dix. » « En français » cela veut dire que les lettres qu'il utilise sont très lisibles et accompagnées d'un système de fléchage. Le courant « new school », quant à lui, se définit entre autres par des lettres beaucoup plus abstraites.

Même si le jargon qui accompagne le graff est souvent incompréhensible par le tout public et peut donner l'impression d'un milieu fermé, Nazeem fait partie de ceux qui ont contribué à le populariser. En commençant par montrer qu'il n'a rien d'illégal et surtout rien à voir avec les tags, qu'il est le premier à dénoncer. « Le tag est du vandalisme. Ça ne rime à rien mais ça fait partie des choses de la vie. Les gens sont libres d'avoir un cerveau et de s'en servir ou pas. »

(Christel Marteel, « Pour Nazeem, « le graff est une vraie discipline », *Ouest France*, 18 avril 2006, www.ouest-france.fr/, dernier accès le 4 juillet 2008)

Vocabulaire

brestois qui provient de, ou est caractéristique de, la ville de Brest

BD bande dessinée

1. Pourquoi Nazeem est-il qualifié d'« incontournable » dans l'univers du graff ?
2. Quelle est la particularité de la ville de Brest pour Nazeem ?
3. Nazeem demande aux jeunes graffeurs de faire quoi ?
4. D'après Nazeem, les graffs sont-ils faits pour durer ?
5. Quelle est l'opinion de Nazeem à propos des tags ?

B

Êtes-vous d'accord avec Nazeem quand il affirme que le graff est une vraie discipline ? Donnez en 150 à 200 mots votre opinion sur la valeur artistique du graff.

Pour conclure cette session sur une note légère, vous allez regarder une bande dessinée de Téhem, auteur de la série Malika Secouss, héroïne très populaire parmi les collégiens et les lycéens. Il y décrit avec beaucoup de perspicacité et d'humour la vie de trois jeunes de la Cité des Pâquerettes, face aux initiatives maladroites d'une mairie prête à tout pour aider les jeunes des banlieues.

Activité 3.1.15

A

Lisez la BD au verso et décrivez en quelques mots, à partir des dessins et du texte de Téhem, ce qui semble différencier les jeunes de l'animateur de quartier.

(Téhem, *Malika Secouss, tome 1 : Rêves partis*, 1998, p.9)

Vocabulaire

AQ animateur de quartier (personne dont le rôle consiste à canaliser constructivement les énergies des jeunes résidents)

métissage culturel mélange des cultures

B

Expliquez en deux ou trois phrases pourquoi, d'après vous, les jeunes restent silencieux face au discours de l'animateur.

C

Imaginez un dénouement à cette histoire et décrivez-le ainsi que les sentiments de l'animateur devant le résultat qu'il a obtenu. Deux ou trois phrases suffiront. À la page 83, vous verrez la véritable image finale de cette BD, et notre description des sentiments de l'animateur, selon ce dénouement.

Session 2 Spectacles vivants

En France, l'État subventionne l'activité culturelle. Déjà sous l'Ancien Régime, le roi pouvait soutenir financièrement certains artistes pour leur permettre d'écrire, comme, par exemple Molière. Aujourd'hui encore, l'œuvre de cet écrivain français du XVIIe siècle est si appréciée que son nom est associé à la langue française : on parle de « la langue de Molière » pour désigner le français au même titre que l'on parle de « la langue de Shakespeare » pour désigner l'anglais.

Le théâtre, de Molière à nos jours, nous a légué de nombreuses expressions que l'on utilise dans la langue courante, ainsi que de nombreuses références qui font partie de la culture générale des francophones. Quel rôle joue l'art, et plus particulièrement le théâtre, dans la société ? C'est, entre autres, ce à quoi nous réfléchirons tout au long de cette session.

Points clés

- G3.5 Exprimer une hypothèse et sa conséquence
- G3.6 La formation du conditionnel présent
- G3.7 Établir des comparaisons
- C3.4 Molière
- C3.5 Le Théâtre de l'Absurde
- O3.2 Rédiger une critique
- O3.3 Rédiger un compte-rendu

« Le monde entier est un théâtre » (William Shakespeare, *Comme il vous plaira*)

Le théâtre du XVIIe siècle

Dans les activités qui suivent, vous allez découvrir quelques répliques célèbres entrées dans le langage courant. Puis vous lirez un extrait d'une pièce de Molière où les personnages vantent l'utilité de leur art dans la société. Enfin, vous réviserez l'emploi du conditionnel.

Activité 3.2.1

A

Lisez ci-dessous dans la colonne de gauche quelques répliques célèbres et reliez-les à leurs équivalents dans la colonne de droite.

La réplique…	… et son équivalent
1 « Que diable allait-il faire dans cette galère ! » (Molière, *Les Fourberies de Scapin*)	(a) Comme c'est frustrant de ne plus avoir la force de la jeunesse !
2 « Ah non, c'est un peu court, jeune homme ! » (Edmond Rostand, *Cyrano de Bergerac*)	(b) Vous ne pouvez rien contre quelqu'un qui dit du mal de vous.
3 « Qui veut noyer son chien l'accuse de la rage » (Molière, *Les Femmes savantes*)	(c) Pourquoi s'est-il mis dans une situation si délicate ?
4 « Ô rage ! ô désespoir ! ô vieillesse ennemie ! » (Corneille, *Le Cid*)	(d) Quand on veut se débarrasser de quelqu'un, on lui trouve toujours un défaut.
5 « Contre la médisance il n'est point de rempart » (Molière, *Tartuffe*)	(e) Votre argument est faible, monsieur, il y a beaucoup plus de choses à dire sur le sujet !

B

Choisissez une ou deux répliques de la liste donnée ci-dessus et mémorisez-les pour le plaisir. Les trois derniers exemples ont un rythme classique du théâtre français : ce sont des alexandrins, c'est-à-dire qu'ils possèdent douze syllabes. Par exemple :

1	2	3	4	5	6	7	8	9	10	11	12
Ô	rage !	ô	dé	ses	poir !	ô	vieill	esse	en	ne	mie !

Si vous avez un bon sens du rythme, cette indication peut vous aider à les mémoriser.

C3.4 Molière

La France du XVIIe siècle est un lieu de création littéraire intense. Louis XIV, le Roi-Soleil, sait s'entourer des plus grands dramaturges : Pierre Corneille (1606–1684) et Jean Racine (1639–1699) se consacrent principalement à la tragédie. Jean-Baptiste Poquelin, dit Molière (1622–1673), utilise quant à lui toute la gamme des effets comiques pour dénoncer les vices, les obsessions et les manies de ses contemporains. *Les Précieuses ridicules*, *Dom Juan*, *Le Misanthrope*, *L'Avare*, *Tartuffe* et *Les Femmes savantes* créent des personnages encore très convaincants à notre époque.

Le Bourgeois gentilhomme, écrit avec Jean-Baptiste Lully, le compositeur favori de Louis XIV, est une comédie-ballet, un grand spectacle qui a eu lieu dans les jardins du château de Chambord en 1670. L'histoire, qui tourne autour d'un mariage arrangé, n'est qu'un prétexte : en fait, la pièce caricature les nouveaux riches sous les traits de Monsieur Jourdain, bourgeois vaniteux, naïf et ignorant.

Molière, également directeur de troupe et acteur, meurt par une triste ironie du sort juste après la quatrième représentation de sa dernière pièce, *Le Malade imaginaire*, dont il jouait le rôle principal.

Activité 3.2.2

Dans la plupart de ses pièces, Molière dénonce les défauts de l'être humain, tels que l'avarice ou l'arrivisme. D'après leur titre, faites correspondre les pièces de théâtre ci-dessous aux défauts majeurs qu'elles critiquent.

Pièces de théâtre	On y dénonce…
1 *Tartuffe*	(a) La préciosité ; un courant littéraire et social du XVIIe siècle où il s'agissait de se distinguer du commun, par exemple par sa façon de parler
2 *Le Malade imaginaire*	(b) L'avarice ; le fait de garder tout son argent pour soi sans jamais vouloir le dépenser
3 *Les Précieuses ridicules*	(c) L'hypocondrie ; le fait de se croire atteint de toutes les maladies
4 *L'Avare*	(d) L'hypocrisie et la fausse dévotion

Activité 3.2.3

A

Cherchez les mots « bourgeois » et « gentilhomme » dans un dictionnaire et expliquez en quelques mots pourquoi, selon vous, Molière a utilisé ces mots pour décrire Monsieur Jourdain.

B

Lisez l'extrait au verso, tiré du *Bourgeois gentilhomme*, et répondez aux questions de la page 29.

ACTE I, SCÈNE II

MONSIEUR JOURDAIN, MAÎTRE DE MUSIQUE, MAÎTRE À DANSER

MONSIEUR JOURDAIN : Est-ce que les gens de qualité apprennent aussi la musique ?

MAÎTRE DE MUSIQUE : Oui, Monsieur.

MONSIEUR JOURDAIN : Je l'apprendrai donc. Mais je ne sais quel temps je pourrai prendre : car, outre le maître d'armes qui me montre, j'ai arrêté encore un maître de philosophie qui doit commencer ce matin.

MAÎTRE DE MUSIQUE : La philosophie est quelque chose ; mais la musique, Monsieur, la musique...

MAÎTRE À DANSER : La musique et la danse... La musique et la danse, c'est là tout ce qu'il faut.

MAÎTRE DE MUSIQUE : Il n'y a rien qui soit si utile dans un État que la musique.

MAÎTRE À DANSER : Il n'y a rien qui soit si nécessaire aux hommes que la danse.

MAÎTRE DE MUSIQUE : Sans la musique, un État ne peut subsister.

MAÎTRE À DANSER : Sans la danse, un homme ne saurait rien faire.

MAÎTRE DE MUSIQUE : Tous les désordres, toutes les guerres qu'on voit dans le monde, n'arrivent que pour n'apprendre pas la musique.

MAÎTRE À DANSER : Tous les malheurs des hommes, tous les revers funestes dont les histoires sont remplies, les bévues des politiques et les manquements des grands capitaines, tout cela n'est venu que faute de savoir danser.

MONSIEUR JOURDAIN : Comment cela ?

MAÎTRE DE MUSIQUE : La guerre ne vient-elle pas d'un manque d'union entre les hommes ?

MONSIEUR JOURDAIN : Cela est vrai.

MAÎTRE DE MUSIQUE : Et, si tous les hommes apprenaient la musique, ne serait-ce pas le moyen de s'accorder ensemble, et de voir dans le monde la paix universelle ?

MONSIEUR JOURDAIN : Vous avez raison.

MAÎTRE À DANSER : Lorsqu'un homme a commis un manquement dans sa conduite, soit aux affaires de sa famille, ou au gouvernement d'un État, ou au commandement d'une armée, ne dit-on pas toujours : « Un tel a fait un mauvais pas dans une telle affaire » ?

MONSIEUR JOURDAIN : Oui, on dit cela.

MAÎTRE À DANSER : Et faire un mauvais pas peut-il procéder d'autre chose que de ne savoir pas danser ?

MONSIEUR JOURDAIN : Cela est vrai, et vous avez raison tous deux.

MAÎTRE À DANSER : C'est pour vous faire voir l'excellence et l'utilité de la danse et de la musique.

MONSIEUR JOURDAIN : Je comprends cela à cette heure.

(Molière, *Le Bourgeois gentilhomme*, 1670, Acte I, Scène II)

Vocabulaire

arrêter employer (usage littéraire)

pour n'apprendre pas la musique parce qu'on n'apprend pas la musique

de ne savoir pas danser de ne pas savoir danser (la position de « pas » entre les deux infinitifs est un usage littéraire)

fait un mauvais pas fait une erreur

à cette heure maintenant

1 Quel est le thème principal de la conversation entre les trois personnages ?

2 Monsieur Jourdain vous semble-t-il plutôt conciliant ou difficile à convaincre dans cette conversation ?

3 Pourquoi Monsieur Jourdain envisage-t-il d'apprendre la musique ?

4 Comparez la structure des répliques du maître de musique et celles du maître à danser (à partir de « la musique et la danse, c'est là tout ce qu'il faut »). Que remarquez-vous ?

5 Comparez le contenu des répliques des deux maîtres quand ils parlent de l'importance de leurs arts respectifs.

Activité 3.2.4

A

Identifiez tous les verbes conjugués dans les phrases ci-dessous. Pour chacune, précisez la forme du verbe employé. Précisez le temps (présent, imparfait etc.) et le mode (indicatif, subjonctif etc.) dans chaque case du tableau ci-dessous.

1 Et si tous les hommes apprenaient la musique, ne serait-ce pas le moyen de s'accorder ensemble ?

2 Si je réservais trois billets pour le concert de demain soir, pourriez-vous venir avec nous ?

3 Si tu t'inscrivais au cours de salsa avec moi, nous pourrions nous faire de nouveaux amis.

4 Si tu voulais, nous pourrions aller à l'opéra la semaine prochaine.

	Verbe 1	Forme du verbe	Verbe 2	Forme du verbe
1				
2				
3				
4				

B

À partir des phrases que vous venez de lire, complétez l' explication suivante en ajoutant un nom de mode et un nom de temps.

> La structure « si + verbe à l'indicatif imparfait » est utilisée avec la structure « [sujet] + verbe à/au __________ » pour exprimer une hypothèse et sa conséquence.

G3.5 Exprimer une hypothèse et sa conséquence

Dans *Le Bourgeois gentilhomme*, le Maître de Musique s'exclame :

> Et, **si** tous les hommes **apprenaient** la musique, ne **serait**-ce pas le moyen de s'accorder ensemble, et de voir dans le monde la paix universelle ?

Il exprime ainsi une hypothèse ou une supposition, suivie de sa conséquence directe. L'hypothèse est exprimée par l'imparfait et la conséquence par le conditionnel présent :

> **Si** les hommes **apprenaient** la musique, on **aurait** la paix dans le monde !
>
> **Si** les humains **apprenaient** à danser, ils **seraient** moins malheureux !
>
> **Si** Dieu n'**existait** pas, il **faudrait** l'inventer. (Voltaire, *Épître à l'auteur du Livre des trois imposteurs*)

Dans les activités qui suivent, vous allez vous entraîner à exprimer une hypothèse en utilisant la structure que vous venez d'apprendre.

Activité 3.2.5

A

Complétez les phrases suivantes selon le modèle donné.

Exemple

Si je (savoir) __________ danser, j'irais au bal toutes les semaines !

→ Si je **savais** danser, j'irais au bal toutes les semaines !

1 Si tu (lire) __________ plus souvent, tu serais meilleur en orthographe !

2 Si tu (inviter) __________ Jean au théâtre, il serait très heureux.

3 Si on (s'abonner) __________ à ce magazine, on aurait des billets de cinéma gratuits.

4 Si nous n'(avoir) __________ pas de baby-sitter, nous ne pourrions pas aller voir la pièce.

5 Si vous (pouvoir) __________ vous asseoir au premier rang, vous verriez mieux.

B

Complétez les phrases suivantes avec les verbes au conditionnel de l'encadré ci-dessous.

irais • aurait • serais • serions • aurions

1 Si j'avais le temps, j' __________ au théâtre plus souvent.

2 Si vous étiez libres ce week-end, nous __________ heureux de vous inviter.

3 Si tu avais des places pour le spectacle, je __________ ravi(e) de t'accompagner.

4 Si nous étions membres du club de théâtre, nous __________ des places au premier rang.

5 Si ce comédien avait du talent, il __________ un meilleur choix de rôles.

G3.6 La formation du conditionnel présent

Pour former le conditionnel présent d'un verbe, il faut connaître sa forme au futur (pour savoir à quelle racine ajouter la terminaison) et à l'imparfait (pour savoir quelle terminaison utiliser). Par exemple :

Infinitif	Racine du futur	Terminaison de l'imparfait	Conditionnel présent
écouter	j'**écouter**ai	j'écout**ais**	j'**écouterais**

La formule, c'est donc : racine du futur + terminaison de l'imparfait = conditionnel présent. Voici deux autres exemples :

Infinitif	Racine du futur	Terminaison de l'imparfait	Conditionnel présent
finir	tu **finir**as	tu finiss**ais**	tu **finirais**
prendre	nous **prendr**ons	nous pren**ions**	nous **prendrions**

« Le théâtre, c'est d'être réel dans l'irréel » (Jean Giraudoux, *L'Impromptu de Paris*)

Activité 3.2.6

A

Transformez les phrases suivantes.

Exemple

Sans la musique, l'État ne peut subsister.

→ Si la musique n'existait pas, l'État ne pourrait subsister.

1 Sans le cinéma, la vie est bien triste.

2 Sans la lecture au lit, je ne peux pas m'endormir.

3 Sans le théâtre de rue, les mimes ne peuvent pas s'exprimer.

B

Inventez deux phrases personnelles qui expriment une hypothèse et sa conséquence.

Activité 3.2.7

A

Lisez cette critique et répondez aux questions qui la suivent.

L'Avare

C'est en fait cinq ans avant sa mort que Molière écrit sa pièce la plus drôle, la plus désespérée, mais aussi la plus méchante. Le metteur en scène, Georges Werler, met l'accent sur une question centrale : qui est la véritable victime ? Harpagon ou ses enfants ? D'une part, nous avons un vieux monsieur riche, tyrannique et amoureux de celle que son fils adore, de l'autre des enfants qui l'agressent, des valets qui l'épient et des voisins qui le jalousent. C'est avec passion et finesse que Michel Bouquet s'empare à nouveau du rôle d'Harpagon. Il révèle avec puissance et évidence toute la complexité du caractère de ce personnage. Autour

de lui, Juliette Carré campe une Frosine haute en couleur. Le reste de la troupe ne démérite pas. Valère (Benjamin Egner) et Cléante (Sylvain Machac) débordent d'énergie. Tout comme le bon Maître Jacques (Jacques Echantillon), réjouissant au possible.

Ce sont des applaudissements à foison que ce vieil avare amassera, n'est-ce pas le plus beau trésor pour les comédiens ? Une grande pièce classique à découvrir et à redécouvrir.

(Théâtre Municipal de Grenoble, « *L'Avare*, Théâtre Municipal de Grenoble Saison 2007–2008 », www.theatre-grenoble.fr, dernier accès le 28 avril 2008)

1 Quelle est la question centrale que Werler a choisi de mettre en avant dans sa mise en scène ?

2 L'auteur du programme fait un résumé de l'intrigue de *L'Avare* en une trentaine de mots. Identifiez-les.

B

Relevez dans le texte que vous venez de lire le vocabulaire utilisé pour décrire le jeu des cinq comédiens cités et notez s'il s'agit de mots et d'expressions exprimant des jugements plutôt positifs ou négatifs.

O3.2 Rédiger une critique

Une critique est un texte subjectif comportant des éléments qui permettent d'identifier l'opinion personnelle de l'auteur sur un sujet donné.

> C'est **avec passion et finesse** que Michel Bouquet s'empare à nouveau du rôle d'Harpagon.
>
> Il révèle **avec puissance et évidence** toute la complexité du caractère de ce personnage.
>
> Juliette Carré campe une Frosine **haute en couleur**.

Ici, le vocabulaire utilisé est élogieux et l'on comprend que l'auteur a beaucoup aimé la pièce.

L'utilisation de mots – noms, adjectifs ou verbes – exprimant des valeurs positives ou négatives vous facilitera donc la rédaction de textes subjectifs.

Il existe aussi des figures de style qui permettent de mettre en valeur un énoncé.

La **litote** consiste à en dire le moins possible pour en faire comprendre le plus possible. Dans une réplique très célèbre, Chimène, personnage de la pièce de Corneille, *Le Cid*, dit à Rodrigue : « Va, je ne te hais point ». Le sens de cette litote, c'est « Va, je t'aime passionnément ». Voici un autre exemple, tiré de notre critique :

> Le reste de la troupe **ne démérite pas**.

Ici, l'auteur veut dire que le reste de la troupe mérite beaucoup de compliments.

L'**hyperbole** consiste à utiliser des termes excessifs pour produire plus d'effet. L'effet produit peut être positif ou négatif comme dans les exemples suivants :

Valère (Benjamin Egner) et Cléante (Sylvain Machac) **débordent d'énergie**. Tout comme le bon Maître Jacques (Jacques Echantillon), **réjouissant au possible**.

Parfois l'hyperbole est communiquée par le sarcasme :

Après une nuit entière à faire la fête, Jean **déborde d'énergie** ce matin. Je vais devoir refaire tout son travail, c'est **réjouissant au possible** !

Dans les activités suivantes, vous allez vous entraîner à écrire une critique.

Activité 3.2.8

A

Lisez les trois critiques de spectacles ci-dessous et identifiez les mots qui leur donnent une valeur d'opinion subjective.

1 Louis Beyler a donné au personnage de Scapin une stature actuelle très charismatique

(Françoise Méry, *Le Dauphiné Libéré*, cité dans « *Les Fourberies de Scapin*, Théâtre Municipal de Grenoble Saison 2007–2008 », www.theatre-grenoble.fr/Spectacles/17.htm, dernier accès le 1 septembre 2008)

2 Une réalisation exaltante du *Porgy and Bess* de George Gershwin par le New York Harlem Theatre

(Mya Tannenbaum, *Corriere della Serra*, cité dans « *Porgy and Bess*, Théâtre Municipal de Grenoble Saison 2007–2008 », www.theatre-grenoble.fr/Spectacles/03.htm, dernier accès le 1 septembre 2008)

3 Attendues, ces retrouvailles avec le chef-d'œuvre de Molière ne déçoivent pas. C'est avec passion que Michel Bouquet endosse à nouveau le costume d'Harpagon

(*Pariscope*, cité dans « *L'Avare*, Théâtre Municipal de Grenoble Saison 2007–2008 », www.theatre-grenoble.fr/Spectacles/09.htm, dernier accès le 1 septembre 2008)

B

Vous avez assisté à une représentation de *L'Avare*. En vous aidant du texte et des critiques ci-dessus, inventez deux phrases de critique positive, l'une sur Frosine, l'autre sur Cléante, en utilisant plusieurs des mots de l'encadré.

déborde d'énergie • charismatique • haut(e) en couleur • dynamique • plein(e) de talent • exaltant(e) • réjouissant(e) au possible • chef d'œuvre • passion

C

Les phrases ci-dessous sont des expressions courantes. Cochez la colonne qui convient selon qu'elles illustrent le procédé de litote ou d'hyperbole.

		Litote	Hyperbole
1	Je meurs de faim.	☐	☐
2	Ce n'est pas mal !	☐	☐
3	Il se creuse la cervelle.	☐	☐
4	Il ne laissera pas que des regrets.	☐	☐
5	C'est une histoire à dormir debout.	☐	☐
6	Ça ne sent pas la rose !	☐	☐
7	Ce n'est pas pour demain.	☐	☐

Activité 3.2.9

A

Lisez l'extrait suivant et reliez les informations du tableau ci-contre en vous servant de l'exemple indiqué. Notez que Léandre a deux fonctions, et qu'il apparaît donc deux fois à droite.

Exemple

Octave est le mari secret d'Hyacinthe : 1–(c)–(iv)

Les Fourberies de Scapin

Les Fourberies de Scapin est l'une des dernières pièces écrite par Molière qui, après trois siècles, n'a rien perdu de son piquant. C'est l'histoire d'Octave qui se marie en secret avec Hyacinthe, une jeune fille pauvre au passé mystérieux, et de Léandre qui tombe amoureux de Zerbinette, une Égyptienne (« bohémienne » au XVIIe siècle). Tout se complique quand les pères, Argante et Géronte, rentrent de voyage avec des projets de mariage pour leurs enfants. Scapin, le valet de Léandre, se propose de tout arranger. Mais réussira-t-il à faire triompher l'amour par ses multiples ruses et stratagèmes ?

Toujours d'actualité, cette comédie nous parle de révolte contre le pouvoir, l'argent...

(Théâtre Municipal de Grenoble, « *Les Fourberies de Scapin*, Théâtre Municipal de Grenoble Saison 2007–2008 », www.theatre-grenoble.fr/Spectacles/17.htm, dernier accès le 1 septembre 2008)

1 Octave est	(a) une Égyptienne, aimée de	(i) Léandre
2 Hyacinthe est	(b) le valet de	(ii) Zerbinette
3 Léandre est	(c) le mari secret de	(iii) Octave
4 Zerbinette est	(d) amoureux de/d'	(iv) Hyacinthe
5 Scapin est	(e) l'épouse secrète de	(v) Léandre

B

Lisez la suite du texte et complétez les phrases avec les adjectifs de l'encadré ci-dessous.

rusé • meilleure • prompt • parfait • poétique

Aujourd'hui, Jean-Vincent Brisa nous présente sa vision des *Fourberies de Scapin*, épurée et __________. Il crée une atmosphère de suspicions et de doutes. Une pièce dynamique, rythmée, emportée par Louis Beyler, interprète de Scapin, __________ en valet __________ et ingénieux, toujours __________ à servir ses maîtres de la __________ façon qui soit.

(Théâtre Municipal de Grenoble, « *Les Fourberies de Scapin*, Théâtre Municipal de Grenoble Saison 2007–2008 », www.theatre-grenoble.fr/Spectacles/17.htm, dernier accès le 1 septembre 2008)

Le théâtre du XXe siècle

Eugène Ionesco, dramaturge roumain, s'est inspiré de façon répétée des absurdités de son époque pour créer des pièces où la menace de la mort côtoie l'irrationalité et l'agressivité des hommes. Dans l'activité suivante, vous allez vous concentrer sur le style d'Ionesco grâce à l'étude d'un extrait de sa pièce *La Cantatrice chauve*.

Activité 3.2.10

A

Lisez l'extrait ci-dessous, tiré de *La Cantatrice chauve,* et cochez parmi les six adjectifs de la page 37 ceux qui, selon vous, décrivent cet extrait.

Scène IV

[Les Époux Martin]

Mme et M. Martin s'assoient l'un en face de l'autre, sans se parler. Ils se sourient, avec timidité.

M. Martin : *(le dialogue qui suit doit être dit d'une voix traînante, monotone, un peu chantante, nullement nuancée)* Mes excuses, madame, mais il me semble, si je ne me trompe, que je vous ai déjà rencontrée quelque part.

Mme Martin : À moi aussi, monsieur, il me semble que je vous ai déjà rencontré quelque part.

M. Martin : Ne vous aurais-je pas déjà aperçue, madame, à Manchester, par hasard ?

Mme Martin : C'est très possible. Moi, je suis originaire de la ville de Manchester ! Mais je ne me souviens pas très bien, monsieur, je ne pourrais pas dire si je vous y ai aperçu, ou non !

M. Martin : Mon Dieu, comme c'est curieux ! Moi aussi je suis originaire de la ville de Manchester, madame !

Mme Martin : Comme c'est curieux !

M. Martin : Comme c'est curieux !... Seulement, moi, madame, j'ai quitté la ville de Manchester, il y a cinq semaines, environ.

Mme Martin : Comme c'est curieux ! quelle bizarre coïncidence ! Moi aussi, monsieur, j'ai quitté la ville de Manchester, il y a cinq semaines, environ.

M. Martin : J'ai pris le train d'une demie après huit le matin, qui arrive à Londres à un quart avant cinq, madame.

Mme Martin : Comme c'est curieux ! comme c'est bizarre ! et quelle coïncidence ! J'ai pris le même train, monsieur, moi aussi !

M. Martin : Mon Dieu, comme c'est curieux ! peut-être bien alors, madame, que je vous ai vue dans le train ?

Mme Martin : C'est bien possible, ce n'est pas exclu, c'est plausible et, après tout, pourquoi pas !... Mais je n'en ai aucun souvenir, monsieur !

M. Martin : Je voyageais en deuxième classe, madame. Il n'y a pas de deuxième classe en Angleterre, mais je voyage quand même en deuxième classe.

Mme Martin : Comme c'est bizarre, que c'est curieux, et quelle coïncidence ! moi aussi, monsieur, je voyageais en deuxième classe !

M. Martin : Comme c'est curieux ! Nous nous sommes peut-être bien rencontrés en deuxième classe, chère madame !

Mme Martin : La chose est bien possible et ce n'est pas du tout exclu. Mais je ne m'en souviens pas très bien, cher monsieur !

M. Martin : Ma place était dans le wagon n° 8, sixième compartiment, madame !

Mme Martin : Comme c'est curieux ! ma place aussi était dans le wagon n° 8, sixième compartiment, cher monsieur !

M. Martin : Comme c'est curieux et quelle coïncidence bizarre ! Peut-être nous sommes-nous rencontrés dans le sixième compartiment, chère madame ?

Mme Martin : C'est bien possible, après tout ! Mais je ne m'en souviens pas, cher monsieur !

M. Martin : À vrai dire, chère madame, moi non plus je ne m'en souviens pas, mais il est possible que nous nous soyons aperçus là, et si j'y pense bien, la chose me semble même très possible !

Mme Martin : Oh ! vraiment, bien sûr, vraiment, monsieur !

M. Martin : Comme c'est curieux !... J'avais la place n° 3, près de la fenêtre, chère madame.

Mme Martin : Oh, mon Dieu, comme c'est curieux et comme c'est bizarre, j'avais la place n° 6, près de la fenêtre, en face de vous, cher monsieur.

M. Martin : Oh, mon Dieu, comme c'est curieux et quelle coïncidence !... Nous étions donc vis-à-vis, chère madame ! C'est là que nous avons dû nous voir !

Mme Martin : Comme c'est curieux ! C'est possible mais je ne m'en souviens pas, monsieur !

M. Martin : À vrai dire, chère madame, moi non plus je ne m'en souviens pas. Cependant, il est très possible que nous nous soyons vus à cette occasion.

Mme Martin : C'est vrai, mais je n'en suis pas sûre du tout, monsieur.

M. Martin : Ce n'était pas vous, chère madame, la dame qui m'avait prié de mettre sa valise dans le filet et qui ensuite m'a remercié et m'a permis de fumer ?

Mme Martin : Mais si, ça devait être moi, monsieur ! Comme c'est curieux, comme c'est curieux, et quelle coïncidence !

M. Martin : Comme c'est curieux, comme c'est bizarre, quelle coïncidence ! Eh bien alors, alors, nous nous sommes peut-être connus à ce moment-là, madame ?

Mme Martin : Comme c'est curieux et quelle coïncidence ! c'est bien possible, cher monsieur ! Cependant, je ne crois pas m'en souvenir.

M. Martin : Moi non plus, madame.

Un moment de silence. La pendule sonne 2-1.

(Eugène Ionesco, *La Cantatrice chauve*, 1954, pp. 53–57)

1 sérieux ☐
2 comique ☐
3 absurde ☐
4 triste ☐
5 nostalgique ☐
6 lyrique ☐

B

La Cantatrice chauve est une pièce qui ne comporte pas d'intrigue particulière. Le langage est en quelque sorte le personnage principal de la pièce. Donnez deux caractéristiques qui montrent qu'Ionesco a basé sa pièce sur le style des manuels traditionnels d'apprentissage d'une langue étrangère.

C3.5 Le Théâtre de l'Absurde

Les jours de gloire du théâtre français du XXe siècle se situent dans les années cinquante et soixante et correspondent à ce que l'on a baptisé « le nouveau théâtre », parfois aussi appelé « le Théâtre de l'Absurde » en référence aux thèmes existentialistes des œuvres de Jean-Paul Sartre et d'Albert Camus. Les auteurs les plus connus de ce mouvement sont Samuel Beckett, Eugène Ionesco et Jean Genet.

Les pièces de ces auteurs continuent à être très populaires. On a récemment célébré le cinquantième anniversaire de la première de *La Cantatrice chauve* d'Ionesco au Théâtre de la Huchette, à Paris, et l'on a aussi connu le festival Paris Beckett, au cours duquel toute l'œuvre théâtrale du maître irlandais a été mise en scène à Paris ou dans sa région.

Activité 3.2.11

A

Lisez l'article ci-dessous et répondez aux questions de la page 28.

Cinquante ans de calvitie au Théâtre de la Huchette

La Cantatrice chauve (suivie de *La Leçon*), est jouée sans interruption depuis le 16 février 1957 dans la même petite salle parisienne.

Si vous comptez au nombre des 92 spectateurs de *La Cantatrice chauve*, suivie de *La Leçon* (Eugène Ionesco), ce samedi 17 février 2007, au Théâtre de la Huchette, sachez que vous assistez à la 15 762e re-présentation de la pièce. *Le Livre Guinness des records*, cinquante ans de représentations non-stop avec une centaine de comédiens pour les huit rôles, 1 503 288 spectateurs depuis le 16 février 1957 : de quoi remplir à l'aise vingt Stades de France, un soir tous les deux ans et demi.

Ainsi compte Jacques Legré, entré « tardivement » dans la danse, le 8 février 1961. Lui aura joué 4 889 fois en quarante-huit ans. Toute cette semaine, les anciens seront à l'affiche : Odette Barrois, Nicolas Bataille, Claude Darvy, Claude Debord, Roger Défossez, Jacques Legré, Simone Mozet et Dominique Scheer. Miracle du théâtre à vide, *La Cantatrice chauve* (« et elle se coiffe toujours de la même façon ») doit son titre à un lapsus. En répétition, le comédien, au lieu de dire « … un homme qui avait pris pour femme une institutrice blonde… », s'entend proférer : « … qui avait pris pour femme une cantatrice chauve… ».

Miracle de l'inconscient. Chance. Nicolas Bataille, lauréat du Prix des jeunes compagnies pour *Une saison en enfer*, travaille ce texte délicieusement idiot que lui a transmis une amie roumaine. Auteur Ionesco, Eugène, inconnu, un Roumain débonnaire qui a bricolé une thèse sur le péché et la mort dans la poésie française, pond des vers, rêve de tragique du langage, vivote de corrections dans une maison d'édition, apprend l'anglais dans *L'anglais sans peine*, décide d'en garder le titre pour une pièce, se retrouve, par la grâce d'un lapsus, auteur de *La Cantatrice chauve*.

Première en 1950 aux Noctambules. Derrière Ionesco flottent l'air du temps, les lettristes, le Collège de pataphysique, le désir d'en sortir. Qui règne alors ? Au mieux, Giraudoux, Anouilh, Sartre. La critique ne s'y trompe pas : « Heureusement, nous n'entendrons plus parler de M. Ionesco. » Paulhan, Queneau, Salacrou sont pourtant là, au milieu des sifflets et des colères.

« Le temps se compresse »

Mais Ionesco grandit : Marcel Cuvelier crée *La Leçon* en 1951, Sylvain Dhomme *Les Chaises* en 1952, puis Mauclair, Jean-Marie Scrreau… Le 16 février 1957, reprise de la pièce pour un mois à la Huchette. Changement d'époque ; Beckett, Adamov, Pichette se font connaître. Groupie de la première heure, Louis Malle prête 1 000 francs pour louer la salle. *La Cantatrice* soudain décoiffe : « Les visons du *Figaro* se sont amenés avec les intellectuels, c'était gagné. » La critique ne s'y trompe pas : « La pièce n'a pas pris une ride. Elle vieillit plutôt bien. »

D'un mois, on passe à cinquante ans : « Vous avez remarqué, le temps se compresse, on n'a pas vu passer le temps. » Nicolas Bataille maintient sa mise en scène. « On ne joue jamais plus de quinze jours. Sur scène, on ne sait jamais avec quel partenaire. Ce sont des surprises, des retrouvailles, de la fraîcheur. » Dans la salle, devant le décor anglais et la pendule anglaise qui a l'esprit de contradiction, moyenne d'âge 20 ans.

[…]

« Le théâtre, ce n'est pas un métier, c'est une aventure, répétait René Simon à Bataille. La pièce, je ne m'en fatigue pas. Elle est dans mon cœur. Ce qui m'étonne, c'est que le temps ait passé si vite. Combien de fois l'ai-je jouée ? Je n'en sais rien. Quand on aime, on ne compte pas. »

(Francis Marmande, « Cinquante ans de calvitie au Théâtre de la Huchette », *Le Monde*, 18 février 2007, www.lemonde.fr/cgi- bin/ACHATS/acheter.cgi?offre=ARCHIVES&type_item=ART_ARCH_30J&objet_id=977508&clef=ARC-TRK-G_01, dernier accès le 28 avril 2008)

Vocabulaire

calvitie absence de cheveux (ici, plaisanterie sur le titre de la pièce)

re-présentation représentation (l'orthographe choisie permet d'insister sur la longévité de la pièce, présentée au public pour la 15 762e fois)

pond des vers (fam.) écrit de la poésie

décoiffe (fam.) provoque beaucoup d'agitation (il s'agit d'une allusion humoristique à la calvitie de la cantatrice)

Note culturelle

les visons du *Figaro* expression figurée pour désigner les lectrices du quotidien de droite *Le Figaro*, supposées assez riches pour porter des manteaux de fourrure en vison

1. À quelle circonstance *La Cantatrice chauve* doit-elle son titre ?
2. Par quel moyen Ionesco gagnait-il sa vie, au moment d'écrire *La Cantatrice chauve* ?
3. À sa reprise, en 1957, *La Cantatrice chauve* était censée rester à l'affiche pour quelle période ?
4. Quel est l'âge moyen du public, au Théâtre de la Huchette ?

B

Expliquez en quelques phrases l'importance, pour le déroulement de *La Cantatrice chauve*, des dates et des chiffres suivants.

1 1950

2 le 16 février 1957

3 15 762

4 1 503 288

5 4 889

O3.3 Rédiger un compte-rendu

Le texte que vous venez de lire est assez différent des textes précédents. En effet, il contient plutôt des **faits objectifs**, tels que des données chiffrées, ou encore le détail de certaines circonstances vérifiables.

> Si vous comptez au nombre des **92** spectateurs de *La Cantatrice chauve*, suivie de *La Leçon* (Eugène Ionesco), ce **samedi 17 février 2007**, au Théâtre de la Huchette, sachez que vous assistez à la **15 762**[e] re-présentation de la pièce.
>
> ***Le Livre Guinness des records*, cinquante ans de représentations non-stop** avec une centaine de comédiens pour les huit rôles, **1 503 288 spectateurs** depuis le **16 février 1957** : de quoi remplir à l'aise vingt Stades de France, un soir tous les deux ans et demi.

À l'inverse des textes précédents, il ne contient pas d'opinions personnelles ni de détails subjectifs sur le sujet traité.

La grille de questions est un outil qui pourra vous aider à construire un texte objectif. En effet, cette grille vous invite à vous concentrer sur les faits en répondant à une série de questions simples : qui ? – où ? – quand ? – quoi ? – comment ? – pourquoi ?

Par exemple, voici comment l'on pourrait remplir la grille pour raconter en quelques mots *Les Fourberies de Scapin* :

Qui ?	Scapin, son maître, le père de son maître, etc.
Où ?	Dans une ville portuaire
Quand ?	Au XVIIe siècle
Quoi ?	Scapin aide son maître à réaliser son projet de mariage
Comment ?	Scapin invente un stratagème
Pourquoi ?	Pour aider son maître à échapper à un autre mariage, forcé par son père

« Le théâtre est le premier sérum que l'homme ait inventé pour se protéger de la maladie de l'Angoisse » (Jean-Louis Barrault, *Nouvelles réflexions sur le théâtre*)

Vous allez maintenant vous familiariser avec une nouvelle pièce d'Ionesco à partir de laquelle vous apprendrez à reconnaître et utiliser différentes formes de phrases comparatives.

Activité 3.2.12

A

Lisez l'extrait ci-dessous et trouvez parmi les descriptions qui suivent celle qui convient le mieux à l'extrait.

> **1RE VOIX** : Le bon est meilleur que le pire. Le pire est moins bon que le bon.
>
> **CHŒUR** (Deux voix) : Le moins bon est aussi mauvais que le pire.
>
> **1RE VOIX** : En hiver, les jours sont plus courts qu'en été. Un homme vivant parle beaucoup plus qu'un homme mort. Il bouge davantage aussi, mais s'il refuse de marcher, il ne bouge pas plus qu'un homme mort. Cependant, il a plus de vie ; car un homme mort n'en a plus du tout.
>
> **4E VOIX** : Il est vrai qu'un vivant est plus vif qu'un mort. Mais il y a des vivants plus vifs que d'autres vivants qui le sont moins.
>
> **CHŒUR** (Deux voix) : Est-ce qu'il y a des morts plus morts que d'autres morts ? Est-ce qu'il y a des vivants moins vivants que d'autres vivants ?
>
> **1RE VOIX** : Les vivants les plus vivants sont ceux qui sont les moins morts : les poètes, par exemple, car ils ont plus d'inspiration que la majorité des gens qui ne sont pas plus mauvais pour cela.
>
> **3E VOIX** : Les vivants s'aperçoivent qu'en hiver il fait moins chaud qu'en été ; qu'en automne il pleut plus qu'en été ; que ce printemps-ci, il fait meilleur que le printemps dernier, que le ciel est plus clair, c'est-à-dire moins nuageux.
>
> **CHŒUR** : Généralement, c'est au printemps ou en été que les hommes, les femmes, les enfants, les oies, les arbres, les fleurs, le ciel, le soleil, la pluie sont amoureux, bien plus qu'en hiver ou en automne.
>
> **1RE VOIX** : C'est parce qu'ils sont moins occupés car ils ont plus de beau temps.
>
> **2E VOIX** : Ils travaillent moins.
>
> **CHŒUR** : Quand nous travaillons, nous sommes plus morts que vifs. (Quand on travaille on est plus mort que vif.)
>
> **3E VOIX** : C'est faux. Les morts ne travaillent pas, et ils sont moins vivants et moins vifs que nous.
>
> **1RE VOIX** : Qu'en savez-vous ? Vous n'êtes pas plus renseigné que nous.
>
> (Eugène Ionesco, « Exercices de conversation et de diction française pour étudiants américains », *Théâtre V*, 1963, pp. 310–311)

1 Un texte humoristique ☐

2 Un drame psychologique ☐

3 Une étude philosophique ☐

B

Cherchez dans un dictionnaire ou sur Internet la définition du mot « aphorisme ». Pensez-vous que l'extrait ci-dessus contienne des exemples d'aphorismes ?

C

Relevez dans l'extrait que vous venez de lire les mots qui servent, selon vous, à établir des comparaisons.

G3.7 Établir des comparaisons

Il existe plusieurs moyens d'établir des comparaisons. Dans le texte que vous venez de lire, vous avez certainement remarqué de nombreuses phrases construites sur le même modèle :

« plus/moins/aussi + adjectif ou adverbe + que »

Dans les exemples suivants, la comparaison porte sur un adjectif ou un adverbe :

> En hiver, les jours sont **plus courts qu'**en été.
>
> [...] en hiver il fait **moins chaud qu'**en été.
>
> Cet acteur parle **aussi lentement que** sa partenaire.

Dans les exemples suivants, la comparaison porte sur un verbe, suivant le modèle « verbe + plus/moins/autant + que ».

> [...] en automne il **pleut plus qu'**en été.
>
> Un homme vivant **parle** beaucoup **plus qu'**un homme mort.

La comparaison peut aussi porter sur un nom, selon le modèle « plus/moins/autant de + nom + que » :

> Dans *Le Bourgeois gentilhomme*, il y a **plus de personnages que** dans la pièce de Beckett, *En attendant Godot*.

Remarquez que « plus de » peut aussi se dire « davantage de » :

> Dans *Le Bourgeois gentilhomme*, il y a **davantage de** personnages que dans la pièce de Beckett, *En attendant Godot*.

Certains adjectifs et adverbes changent de forme lorsqu'ils sont employés à une forme comparative :

Adjectif/ adverbe	Comparatif (positif)	[illegible]
bon	meilleur qu[illegible]	[illegible]
mauvais	pire que	[illegible] que
bien	mieux que	moins bien que

> Sa nouvelle pièce est **meilleure que** la précédente.
>
> Le film est **pire que** le livre dont il est inspiré.

Activité 3.2.13

A

Complétez les phrases suivantes en utilisant un comparatif positif (+) ou négatif (–).

Exemple

Les comédies de Molière sont (amusant, +) celles de Shakespeare.

→ Les comédies de Molière sont **plus amusantes que** celles de Shakespeare.

1. La fin du film était (bon, +) le début.
2. Nous allons au théâtre (souvent, –) au cinéma.
3. On met (+) spectateurs dans le Stade de France que dans le Théâtre de la Huchette.
4. Est-il vrai que les pièces de Cocteau sont (original, –) celles d'Anouilh ?

B

Complétez l'extrait suivant en vous aidant

de l'encadré, plusieurs fois si c'est
aire.

moins • plus • meilleur • bien plus • plus de

3

3[E] Voix : Les vivants s'aperçoivent qu'en hiver il fait __________ chaud qu'en été ; qu'en automne il pleut __________ qu'en été ; que ce printemps-ci, il fait __________ que le printemps dernier, que le ciel est __________ clair, c'est-a-dire __________ nuageux.

Chœur : Généralement, c'est au printemps ou en été que les hommes, les femmes, les enfants, les oies, les arbres, les fleurs, le ciel, le soleil, la pluie sont amoureux, __________ __________ qu'en hiver ou en automne.

1[RE] Voix : C'est parce qu'ils sont __________ occupés car ils ont __________ de beau temps.

2[E] Voix : Ils travaillent __________.

(Eugène Ionesco, « Exercices de conversation et de diction française pour étudiants américains », *Théâtre V*, 1963, pp. 310–311)

Pour terminer cette session, vous allez lire un dernier extrait de l'œuvre d'Ionesco et donner votre avis personnel sur l'utilité de l'art.

Activité 3.2.14

Lisez l'extrait suivant de *Notes et contre-notes* d'Eugène Ionesco. Relisez aussi éventuellement les autres textes de cette session et donnez, en 150 mots environ, votre avis personnel sur l'utilité de l'art. Utilisez autant que possible des conditionnels et des comparaisons.

> L'homme moderne, universel, c'est l'homme pressé, il n'a pas le temps, il est prisonnier de la nécessité, il ne comprend pas qu'une chose puisse ne pas être utile ; il ne comprend pas non plus que, dans le fond, c'est l'utile qui peut être un poids inutile, accablant. Si on ne comprend pas l'utilité de l'inutile, l'inutilité de l'utile, on ne comprend pas l'art ; et un pays où on ne comprend pas l'art est un pays d'esclaves ou de robots, un pays de gens malheureux, de gens qui ne rient pas ni ne sourient, un pays sans esprit [...]
>
> (Eugène Ionesco, *Notes et contre-notes*, 1966, p.215)

Session 3 En avant la musique !

Dans cette session vous allez aborder la question des musiques traditionnelles et francophones et examiner la place qu'elles occupent dans le monde de la création artistique. De la chanson normande au slam bordelais, en passant par le rock louisianais, vous goûterez à la diversité de ce que l'on appelle les « musiques actuelles ». Vous aborderez en détail quelques thèmes favoris du patrimoine normand et breton. Enfin, vous ferez un mini-tour d'horizon de la francophonie, en découvrant l'œuvre de quelques artistes dont l'inspiration puise ses sources dans trois continents différents.

Points clés

- G3.8 La progression dans la comparaison
- G3.9 L'infinitif comme sujet d'une phrase
- C3.6 Le vocabulaire de la chanson
- C3.7 La culture de l'oralité
- O3.4 Rédiger une introduction et une conclusion

Musiques traditionnelles ou actuelles ?

Les musiques traditionnelles ont envahi la scène artistique à partir des années soixante-dix. Vingt ans plus tard, portées par un regain de popularité, elles ont réapparu sous la bannière très éclectique des « musiques du monde ». Ayant su profiter de l'intérêt grandissant du public pour ces musiques, les musiques traditionnelles se sont sans cesse renouvelées au point d'être aujourd'hui qualifiées de « musiques actuelles », au même titre que le rock ou la techno. Mais comment ces musiques peuvent-elles être à la fois traditionnelles et actuelles ? C'est ce à quoi vous allez réfléchir pendant la première partie de cette session.

Activité 3.3.1

Regardez les photos ci-dessous et dites à quel type de musique ces instruments vous font penser.

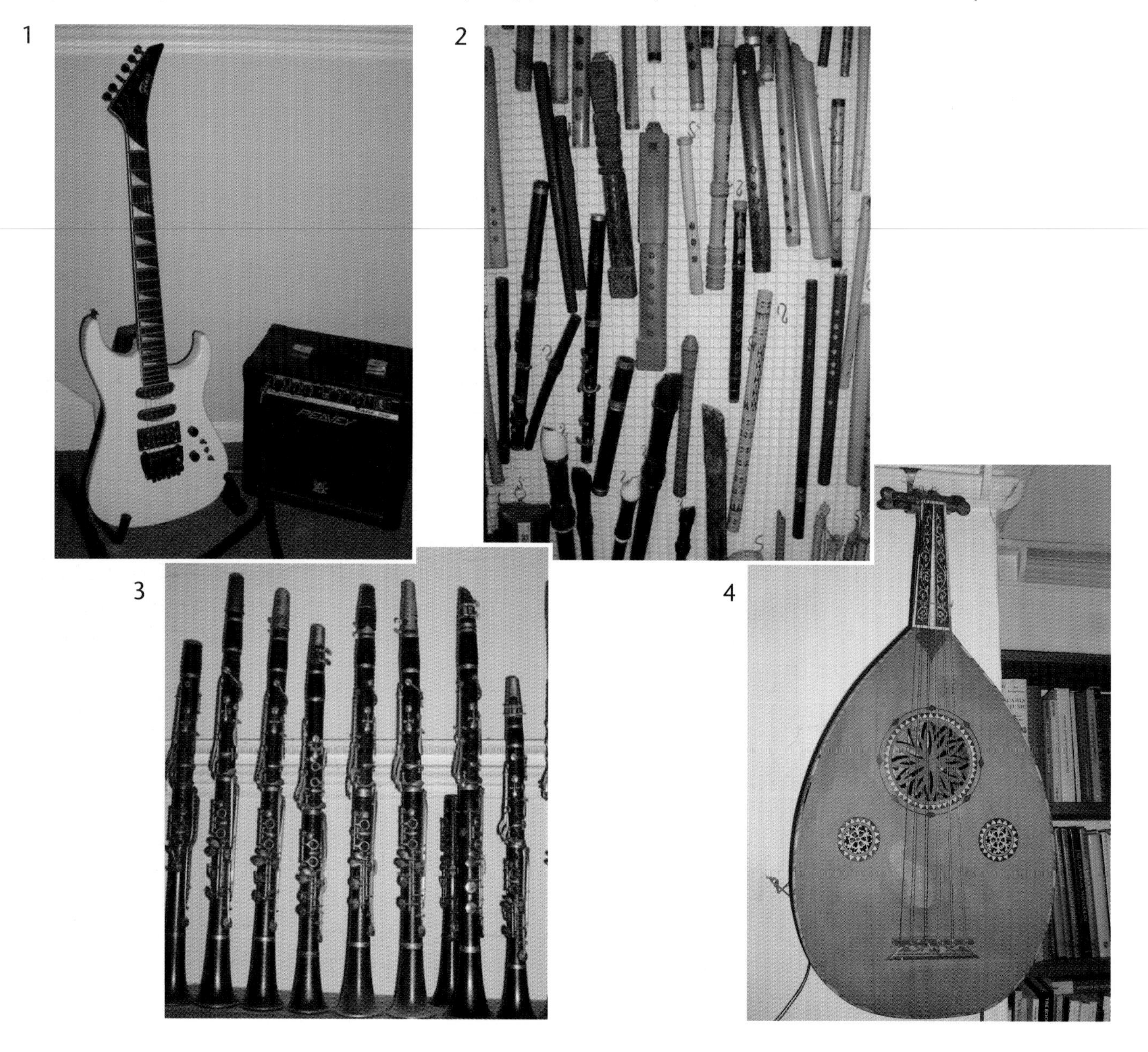

Dans les activités qui suivent, vous allez vous familiariser avec les notions de musiques traditionnelles, actuelles et musiques du monde. À partir d'exemples, vous apprendrez aussi à repérer la structure générale d'un texte ainsi que l'organisation des idées qui y sont présentées.

Activité 3.3.2

A

Lisez la liste de mots qui suit et cochez ceux qui vous semblent être associés à la notion de « tradition ». Cherchez dans le dictionnaire les mots que vous ne comprenez pas.

1	héritage	☐
2	éphémère	☐
3	préservation	☐
4	actuel	☐
5	transmission	☐
6	moderne	☐
7	mémoire	☐
8	patrimoine	☐

B

Lisez ce texte et faites correspondre chacun des quatre paragraphes aux idées principales (1 à 4) listées au verso.

Les musiques traditionnelles sont-elles des musiques actuelles ?

À première vue, il paraît étrange de considérer les musiques traditionnelles comme « actuelles » car l'on qualifie en général d'« actuel » ce qui est contemporain, ce qui est lié à l'actualité. Le terme « traditionnel », par contre, fait plutôt référence aux traditions, à un ensemble de règles et usages hérités du passé. *A priori*, les musiques traditionnelles seraient donc supposées se construire autour de cette notion d'héritage, qui implique la préservation et la transmission d'une mémoire et d'un patrimoine.

Le terme de « musique traditionnelle » a cependant changé plusieurs fois de sens selon les époques, désignant tour à tour des musiques populaires, folkloriques, traditionnelles, folk ou plus récemment « world ». Aujourd'hui son sens est si large qu'il fait référence à plusieurs styles de musiques aussi bien issues des traditions orales populaires que des traditions savantes extra-occidentales, par exemple.

Ceux qui aujourd'hui participent au renouveau de la musique traditionnelle ne se considèrent pas pour autant comme les otages du passé et des traditions, même s'ils acceptent la notion d'héritage qu'elle implique. Beaucoup ont su préserver cette musique traditionnelle tout en y mêlant pourtant une bonne dose de créativité, redonnant du même coup à des chants populaires collectés dans les campagnes une sonorité très actuelle, en phase avec l'époque où leur réinterprétation se situe. Dès lors, les nouvelles compositions et interprétations des artistes traditionnels d'aujourd'hui s'ajoutent au patrimoine existant. Plus le temps passe et plus les musiques traditionnelles se diversifient.

À la fois héritières d'un patrimoine ancestral, mais aussi figures de proue d'un certain renouveau artistique, les musiques traditionnelles font aujourd'hui partie des musiques actuelles et constituent une force vive pour le renouvellement des formes et des pratiques musicales. Sous l'étendard commun des musiques actuelles, les musiques traditionnelles, pourtant liées par définition à une tradition particulière, côtoient de nos jours d'autres musiques, plus universelles, telles que le rock, la techno ou le jazz. Dorénavant, on peut donc trouver dans les bacs à CDs des magasins de disques, du « jazz celtique » ou du « éthio-jazz », alliant ainsi l'universel au particulier en fonction des influences musicales qui ont su se mélanger. En fusionnant avec d'autres styles musicaux, la musique traditionnelle se renouvelle en permanence, sans toutefois renoncer à son héritage propre. C'est précisément cela qui la rend actuelle.

(Adapté de Jean-François Dutertre, « Musiques traditionnelles : musiques actuelles ? », 1998, Le Centre d'information et de ressources pour les musiques actuelles (IRMA), www.irma.asso.fr/Musiques-traditionnelles-musiques, dernier accès le 17 septembre 2008)

Vocabulaire

extra-occidentales (f.pl.) qui provient des régions du monde qui ne sont pas liées aux cultures de l'« Occident », ou de l'« Ouest »

l'étendard (m.) le drapeau, la bannière; ici, la catégorie

alliant mêlant

Notes culturelles

jazz celtique fusion de deux styles musicaux, le jazz et la musique celtique

éthio-jazz musique urbaine éthiopienne influencée par le rhythm and blues

1 Les nouvelles compositions et interprétations des artistes traditionnels d'aujourd'hui s'ajoutent au patrimoine existant.

2 Les musiques traditionnelles font aujourd'hui partie des musiques actuelles. En s'alliant à d'autres styles musicaux tels que le jazz ou le rock, elles se renouvellent sans toutefois renoncer à leur propre héritage. C'est ce qui les rend actuelles.

3 Le terme de « musique traditionnelle » a changé de sens selon les époques. Aujourd'hui son sens est plus large et regroupe plusieurs styles de musique.

4 Définition des termes « traditionnel » et « actuel ».

C

Répondez aux questions suivantes.

1 Pourquoi les notions de musiques traditionnelles et musiques actuelles s'opposent-elles *a priori* ?

2 Trouvez quatre autres appellations se référant à la musique traditionnelle à travers le temps.

3 Qu'est-ce qui, d'après le texte, permet aux musiques traditionnelles d'aujourd'hui de maintenir un caractère actuel ?

O3.4 Rédiger une introduction et une conclusion

Dans le texte précédent, chaque paragraphe remplit une fonction particulière pour répondre à la question posée dans le titre de l'article « Les musiques traditionnelles sont-elles des musiques actuelles ? »

Le premier paragraphe reprend et définit les éléments essentiels du titre, c'est-à-dire ses mots clés comme « musique, traditionnelle, actuelle » et le point d'interrogation (qui introduit la notion de doute), tout en mettant en évidence leur opposition. Ce paragraphe a comme fonction d'introduire le sujet du texte. Il soulève en quelque sorte le problème posé dans le titre. C'est **l'introduction**. Elle comporte aussi quelquefois une annonce explicite du plan du texte qui va la suivre.

Les deuxième et troisième paragraphes développent une argumentation qui nous permet de comprendre comment les termes « actuelle » et « traditionnelle » dans le contexte de la musique ne se contredisent pas forcément, mais au contraire se complètent. Ces paragraphes contiennent des explications et des exemples. C'est **le développement**.

Enfin, le quatrième paragraphe résume les éléments essentiels de la question et reformule la solution au problème posé dans le titre de l'extrait. Il pourrait aussi inclure l'opinion de l'auteur sur le sujet traité. C'est **la conclusion**.

Voici quelques expressions qui aident à structurer les textes :

> En premier lieu/Pour commencer/Je commencerai par...
>
> Ensuite/Puis/En deuxième lieu/Dans une deuxième partie...
>
> Finalement/Pour finir/En conclusion/Je conclurai par...

Activité 3.3.3

A

Que pensez-vous de l'aphorisme « La musique adoucit les mœurs » ? Quels effets la musique peut-elle avoir sur notre comportement et notre mode de vie ? Préparez un plan de réponse en vous servant des conseils donnés ci-contre sur la structuration d'un texte.

B

Rédigez uniquement l'introduction de votre réponse, en 150 mots environ.

Activité 3.3.4

Lisez les quatre phrases ci-dessous et relevez les mots qui, selon vous, servent à établir une comparaison.

1. L'étiquette de « musiques du monde » est une notion encore plus hétérogène que toutes celles définies auparavant.
2. Plus le temps passe et plus les musiques traditionnelles se diversifient.
3. L'étiquette de « musique du monde » est moins facile à définir que celle de « musique traditionnelle ».
4. Plus le temps passe et moins il y a de personnes capables de se souvenir des vieux airs traditionnels.

G3.8 La progression dans la comparaison

Dans l'activité précédente, vous avez lu la phase suivante :

Plus le temps passe et plus les musiques traditionnelles se diversifient.

L'expression employée ici indique une progression dans la comparaison :

« Plus/moins + verbe », « plus/moins + verbe »

Plus il écoute la musique traditionnelle, **plus** il l'apprécie.

Moins elle pratique son instrument de musique, **moins** elle sait en jouer.

Plus on mélange les styles de musiques et **moins** on s'ennuie !

Moins je regarde la télé et **plus** je lis.

Il existe d'autres expressions qui permettent d'établir une progression :

1 « de plus en plus/toujours plus/chaque fois plus + adjectif » :

Les musiques traditionnelles sont **de plus en plus variées.**

2 « de moins en moins/toujours moins/chaque fois moins + adjectif » :

De décennie en décennie, la catégorie « musique du monde » est **chaque fois moins précise.**

3 « de plus en plus de/toujours plus de/chaque fois plus de + nom » :

De plus en plus d'artistes de variétés s'inspirent des musiques traditionnelles.

4 « de moins en moins de/toujours moins de/chaque fois moins de + nom » :

Le public achète **de moins en moins de disques**, à cause des formats MP3.

5 « verbe + de plus en plus/toujours plus/chaque fois plus » :

La fusion des genres musicaux **se développe de plus en plus.**

6 « verbe + de moins en moins/toujours moins/chaque fois moins » :

Elle **mange de moins en moins.**

Activité 3.3.5

Lisez la réaction d'un musicien à propos du métissage musical (ou fusion des genres). Complétez l'extrait donné à la page suivante avec des mots de comparaison choisis parmi ceux que vous avez étudiés ci-dessus.

Métissage musical

Réactions et échos croisés de chanteurs engagés

Allan Stivell | Musicien breton

D'une certaine manière je pense qu'on se renforce à chaque fois. Les gens timorés craignent qu'à chaque rencontre, on se fonde dans l'autre. Toujours ce manque de confiance en soi… Je prétends au contraire qu'à chaque fois, on comprend mieux ce qu'on est nous-même. Ça permet de voir ce qu'on a à transmettre de vraiment original, de mieux s'en rendre compte. Certains Bretons peuvent parfois ne pas reconnaître ce qui est le plus caractéristique de la culture bretonne. On oublie quelquefois qu'il y a nécessité de se frotter aux autres, non seulement pour vivre mieux, mais aussi pour mieux se connaître, donc paradoxalement pour le maintien de l'originalité de chaque culture.

(Allan Stivell, « Métissage musical », Centre des Musiques Traditionnelles en Rhône-Alpes, www.cmtra.org/spip.php?article1497, dernier accès le 1 septembre 2008)

Note culturelle

Allan Stivell auteur-compositeur-interprète breton, figure de proue de la musique celtique en France depuis les années soixante-dix. Il est à l'origine de la renaissance de la harpe celtique en France, instrument oublié depuis le Moyen Âge

Pour Stivell, __________ on a de contact avec des musiques métissées, __________ on se renforce. Mais pour les gens timorés, __________ on rencontre l'autre, __________ on se fond dans lui. Stivell prétend le contraire : pour lui, __________ on rencontre l'autre, __________ on s'appauvrit culturellement. À vrai dire, il pense que __________ on a peur de la nouveauté, __________ on est capable de maintenir l'originalité de sa propre culture.

Le patrimoine musical de Normandie

Vous allez maintenant découvrir un échantillon de chansons traditionnelles normandes. Les thèmes abordés tournent souvent autour d'événements importants de la vie tels que la naissance, le mariage ou les funérailles. Ces chansons sont aussi liées au travail de la terre ou au rythme des saisons. Les chansons sentimentales sont nombreuses dans le répertoire traditionnel, ainsi que les chansons à danser ou les chansons de travail qui accompagnent les gestes et renforcent l'esprit de groupe, comme les chants de marins, par exemple.

Activité 3.3.6

A

Lisez les extraits de chansons ci-dessous et exprimez en quatre courtes phrases les thèmes abordés.

1. Amusez-vous les filles
Profitez des beaux jours
Le temps des amusettes
Ne dure pas toujours [...]

2. Mariez-moi mon père
Je veux m'y marier
Ma mère m'a dit hier
Que j'avais quinze ans passés [...]

3. Nous sommes trois frères
Rien qu'une fille à marier
Marions la belle
Marions-la bien à son gré
Lui donne un homme
Trois fois du jour il la battait
Battre sur battre
Ah, que le sang en rigolait [...]

4. On m'a donnée
Donnée à un homme
Un vieux grison de quatre-vingt ans
Le soir des noces
On frappe à ma porte
C'était mon amant [...]

(OFNI, *Chansons traditionnelles de Normandie*, CD, Carpe Diem, 1999)

Vocabulaire

le sang en rigolait le sang coulait en formant un petit ruisseau (une rigole)

un vieux grison un vieil homme aux cheveux gris

B

Notez en quelques mots l'image de la condition féminine qui est présentée à travers ces quatre extraits.

C

Relisez l'extrait 4 et imaginez la suite de l'histoire en deux ou trois phrases.

D

Relisez l'extrait 2 et sur le même modèle (quatre vers de 6 syllabes), composez la réponse du père à sa fille.

C3.6 Le vocabulaire de la chanson

Les chansons se composent en général de plusieurs **couplets** et d'un **refrain** qui revient régulièrement. Par exemple :

Je voudrais être mariée
J'irais p't-être plus aux champs
Voilà la belle mariée
Elle va toujours aux champs ! (1er couplet)

Refrain : Adieu nos amourettes, adieu donc pour longtemps !

Je voudrais être enceinte
J'irais p't-être plus aux champs
Voilà la belle enceinte
Elle va toujours aux champs ! (2e couplet)

(Refrain)

(OFNI, *Chansons traditionnelles de Normandie*, CD, Carpe Diem, 1999)

Chaque couplet et refrain se compose de **phrases**. Chaque phrase se découpe en **syllabes** comme dans cet exemple :

Ah-que-le-sang-en-ri-go-lait (8 syllabes)

Chaque phrase se termine par un son. Si plusieurs phrases se terminent par le même son, ceci constitue une **rime** (indiquée par une lettre entre parenthèses, différente pour chaque son).

Mariez-moi mon p**ère** (son [ɛ], rime a)

Je veux m'y mar**ier** (son [e], rime b)

Ma mère m'a dit h**ier** (son [ɛ], rime a)

Que j'avais quinze ans pa**ssés** (son [e], rime b)

Dans le cas des chansons traditionnelles, l'**auteur** des paroles de la chanson est souvent anonyme.

Le **compositeur** est la personne qui compose la musique de la chanson.

L'**interprète** est celui ou celle qui chante la chanson. Par exemple, dans le répertoire normand, on trouve des interprétations différentes d'une même chanson par le groupe OFNI, le groupe Mes Souliers Sont Rouges et le chanteur-compositeur Jean-François Dutertre. Ainsi, une même chanson peut varier presque à l'infini, en fonction de différences du tempo, de la cadence, du timbre de voix ou des instruments utilisés.

Activité 3.3.7

A

Lisez ci-dessous le premier couplet d'une chanson normande et classez les trois verbes qu'il contient, selon que ces verbes renvoient au rêve ou à la réalité. Notez les temps (par exemple : présent, futur, imparfait, etc.) et les modes (par exemple : indicatif, subjonctif, conditionnel) des verbes.

Je voudrais être mariée
J'irais p't-être plus aux champs
Voilà la belle mariée
Elle va toujours aux champs !

	Verbe	Rêve/ Realité ?	Temps et mode
1			
2			
3			

B

La chanson se poursuit avec d'autres couplets, qui utilisent la même formule. Imaginez sur le même modèle d'autres motifs qui pourraient empêcher cette femme d'aller aux champs. Inventez les adjectifs manquants de cette chanson, qui est une complainte sur le thème du travail tout au long de la vie d'une femme.

Exemple

Je voudrais être __________
J'irais p't-être plus aux champs
Voici la belle __________
Elle va toujours aux champs !

→ Je voudrais être **enceinte**
J'irais p't-être plus aux champs

Voici la belle **enceinte**
Elle va toujours aux champs !

Je voudrais être __________
J'irais p't-être plus aux champs
La belle est __________
Elle va toujours aux champs !
[...]

Je voudrais être __________
J'irais p't-être plus aux champs
Voilà la belle __________
Elle va toujours aux champs !

[...]

Je voudrais être __________
J'irais p't-être plus aux champs
Voilà la belle __________
Elle ne va plus aux champs !

(OFNI, *Chansons traditionnelles de Normandie*, CD, Carpe Diem, 1999)

C

Notez en deux ou trois phrases ce que la chanson nous apprend sur la condition des femmes en milieu rural traditionnel.

Un autre thème récurrent dans le patrimoine normand est bien évidemment la mer ! Les chansons de marins sont très répandues aussi bien dans le répertoire normand que breton. Vous connaissez peut-être déjà la célèbre chanson enfantine « Il était un petit navire » : vous découvrirez dans l'activité suivante sa version traditionnelle tirée du répertoire breton, ainsi qu'une autre chanson de thème semblable.

Activité 3.3.8

A

Lisez ci-dessous et au verso les extraits de ces deux chansons et notez dans le tableau de la page 53 leurs points communs (forme et contenu).

Il était un petit navire

Il était un petit navire, (bis)
Qui n'avait ja, ja, jamais navigué, (bis)
Ohé, ohé !

Refrain : Ohé, ohé Matelot,
Matelot navigue sur les flots,
Ohé, ohé Matelot,
Matelot navigue sur les flots

Il entreprit un long voyage, (bis)
Sur la mer mé, mé, Méditérannée, (bis)
Ohé, ohé !

(Refrain)

Au bout de cinq à six semaines, (bis)
Les vivres vin, vin, vinrent à manquer, (bis)
Ohé, ohé !

(Refrain)

On tira z'à la courte paille, (bis)
Pour savoir qui, qui, qui serait mangé, (bis)
Ohé, ohé !

(Refrain)

Le sort tomba sur le plus jeune, (bis)
Bien qu'il ne fût, fût, fût pas très épais, (bis)
Ohé, ohé !

(Refrain)

On cherche alors à quelle sauce, (bis)
Le pauvre enfant se, se, serait mangé, (bis)
Ohé, ohé !

(Refrain)

[...]

Pendant qu'ainsi on délibère, (bis)
Il monta sur, sur, sur, le grand hunier, (bis)
Ohé, ohé !

(Refrain)

Il fit au ciel une prière, (bis)
Interrogeant, -geant, -geant l'immensité, (bis)
Ohé, ohé !

(Refrain)

[...]

Au même instant un grand miracle, (bis)
Pour l'enfant fut, fut, fut réalisé, (bis)
Ohé, ohé !

(Refrain)

Des p'tits poissons dans le navire, (bis)
Sautèrent bientôt, tôt, tôt par milliers,
(bis)
Ohé, ohé !

(Refrain)

[...]

Trois matelots du port de Brest

Trois matelots du port de Brest, (bis)
De sur la mer, djemalon lonla lura,
De sur la mer se sont embarqués.

Ont bien été trois mois sur mer, (bis)
Sans jamais terre, djemalon lonla lura,
Sans jamais terre y aborder.

Au bout de cinq à six semaines, (bis)
Le pain le vin, djemalon lonla lura,
Le pain le vin vint à manquer.

Fallut tirer la courte paille, (bis)
Pour savoir qui, djemalon lonla lura,
Pour savoir qui serait mangé.

La courte paille tomba sur le chef, (bis)
Ce s'ra donc moi, djemalon lonla lura,
Ce s'ra donc moi qui s'rai mangé.

Oh non sinon, mon capitaine, (bis)
La mort pour vous, djemalon lonla lura,
La mort pour vous j'endurerai.

La mort pour moi si tu l'endures, (bis)
Cent écus d'or, djemalon lonla lura,
Cent écus d'or je t'y donn'rai.

Ou bien ma fille en mariage, (bis)
Ou c'beau bateau, djemalon lonla lura,
Ou c'beau bateau qui est sous nos pieds.

[...]

Courage mes enfants courage, (bis)
Je vois la terre, djemalon lonla lura,
Je vois la terre de tous côtés.

[...]

(Auteurs inconnus, chansons traditionnelles)

Vocabulaire

bis deux fois

tirer à la courte paille c'est une façon de tirer au sort à l'aide de plusieurs pailles de même taille sauf une plus courte. On les tient toutes dans la main en cachant leur longueur. Celui ou celle qui tire la « courte paille » est désigné(e) par le sort.

le grand hunier un des mâts du bateau

Points communs dans le contenu	Points communs dans la forme

B

Comparez la réaction des personnes désignées par le sort dans les deux histoires et notez en deux ou trois phrases comment les deux crises sont finalement résolues.

Musiques du monde francophone

Dans cette dernière partie, vous êtes invité(e)s à découvrir tour à tour le portrait d'un artiste louisianais et l'interview d'un « slameur » bordelais aux racines africaines très profondes. À travers leur œuvre, dans un style qui leur est propre, ils rendent tous deux hommage à la langue française et à la francophonie.

Activité 3.3.9

A

Lisez la présentation ci-contre consacrée à un album de Zachary Richard et répondez aux questions de la page 54.

ZACHARY RICHARD

Lumière dans le noir

Le Louisianais Zachary Richard possède une double carrière quasi étanche derrière lui : d'un côté en anglais, avec des accents rock prononcés ; de l'autre en français, plus romantique, moins tendue. Un monument de talent (dont l'adaptation de « Travailler, c'est trop dur » est devenu un classique) qui devrait figurer au panthéon des plus grands. La vie en a décidé autrement. Si le demi-fermier qu'il a choisi d'être vit bien, dans la ferme qu'il s'est construite au pied d'un coteau qui va jusqu'au Texas, il n'a jamais fait exploser les hits internationaux. Or, en 1996, dans les bacs des disquaires débarquait ici un album de treize titres, *Cap enragé* [...] et c'est un chef-d'œuvre qui allait scandaleusement passer à la trappe.

Une quasi-décennie s'est écoulée. Zachary Richard a continué à tracer sans sourciller son chemin de hobo fraternel. En novembre 2005, il était au premier rang de ceux (dont Francis Cabrel, l'initiateur) qui organisèrent des concerts afin de soutenir les musiciens de la Nouvelle-Orléans, victimes de l'ouragan Katrina. Militant cajun révolté par toutes les injustices, citoyen d'une planète dont il respire et sent la fragilité comme nul autre, poète couronné de prix, il s'est radicalisé avec l'âge. Ça s'entend d'un bout à l'autre de *Lumière dans le noir*, une nouvelle splendeur couleur folk-rock qu'il ne faut, cette fois, surtout pas laisser passer.

Mélodiquement, rythmiquement, c'est un exemplaire creuset alchimique où se fondent, s'entremêlent, se nourrissent les branches noueuses d'une complexe mangrove musicale baignée par le blues, le cajun, la country, voire le gospel, le jazz, les tambours indiens, la caraïbe. La couleur de voix si particulière du Zach', juteusement taillée à même la magnifique langue métissée de son pays, est pour beaucoup dans la qualité d'émotion qui vous saisit d'un bout à l'autre du voyage. Mais c'est textuellement que le fleuve est en majesté. Du coup de colère pour les baleines du Saint-Laurent qu'on pollue et décime, à l'impuissance de Jésus (« Pourquoi il a fait ça ? ») face aux massacres du Rwanda, en passant par « La Ballade de Jackie Vautour », dépossédé de ses biens par l'État ; de ses variations sur « La Liberté » à la bouleversante supplique à « Mama Luna », jusqu'à « Lumière dans le noir » – que les beatniks de la première heure n'auraient pas renié -, c'est la même force tellurique. À laquelle participe Francis Cabrel, qui y va d'un impeccable duo sur « La Promesse cassée ».

Mais dans cette forêt de mots à la saveur organique, le lingot d'or est la crépusculaire « Île dernière ». Zachary Richard y est ici l'égal d'un Bob Dylan et d'un Neil Young, ses frères de sang ; un génial auteur-compositeur-interprète planant, à des années-lumière, au-dessus du commun.

(Jean Théfaine, « Zachary Richard : Lumière dans le noir », www.chorus-chanson.fr/HOME2/NUMERO60/coeurschorus60.htm#Anchor-Richard, dernier accès le 1 septembre 2008)

Vocabulaire

qui allait scandaleusement passer à la trappe qui allait disparaître comme dans une trappe (et c'est choquant)

juteusement d'une façon très savoureuse, très agréable

taillée à même la magnifique langue qui appartient pleinement à la magnifique langue

c'est textuellement que le fleuve est en majesté c'est par les mots du texte que nous voyons la majesté du fleuve (« en majesté » provient de la critique d'art et désigne le Christ ou un saint sur un trône)

qui y va d'un impeccable duo qui donne comme contribution un excellent duo (avec Zachary)

Note culturelle

Cajun une variété du français parlé dans le sud de la Louisiane qui fusionne les registres du français standard, acadien et créole. Son origine vient de la langue parlée par les Français et les Acadiens (« Cadiens », déformé en « Cadjiens », puis « Cajuns ») installés en Louisiane à partir du XVIIe siècle

1 En quelles langues chante Zachary Richard ?

2 Quel est le titre de son premier album ?

3 Quelle cause humanitaire a-t-il soutenu ?

4 Quels sont ses styles musicaux ?

5 Quels thèmes aborde-t-il dans les textes de ses chansons ?

6 À quels artistes célèbres est-il comparé ?

B

Relevez dans le texte quatre exemples de :

1 Faits objectifs

2 Opinions subjectives.

C

À partir du texte que vous venez de lire, rédigez en 150 à 200 mots environ une présentation objective de l'artiste Zachary Richard en vous concentrant sur les faits présentés. Revoyez éventuellement les conseils fournis dans l'encadré O3.1 « Rédiger un résumé ».

Activité 3.3.10

A

Lisez la chanson suivante et faites correspondre les trois phrases ci-contre à leur équivalent en français « courant ».

Exemple

C'est loin d'un grand bout d'là

→ *C'est très loin de là.*

Refrain : Travailler, c'est trop dur, et voler, c'est pas beau.
D'mander la charité, c'est quéqu'chose j'peux pas faire.
Chaque jour que moi j'vis, on m'demande de quoi j'vis.
J'dis que j'vis sur l'amour, et j'espère de viv' vieux !

Et je prends mon vieux ch'val, et j'attrape ma vieille selle
Et je selle mon vieux ch'val pour aller chercher ma belle.
Tu connais, c'est loin d'un grand bout d'là, de Saint-Antoine à Beaumont
Mais le long du grand Texas, j'l'ai cherchée bien longtemps.

(Refrain)

Et je prends mon violon, et j'attrape mon archet,
Et je joue ma vieille valse pour faire le monde danser.
Vous connaissez, mes chers amis, la vie est bien trop courte
Pour se faire des soucis, alors... allons danser !

(Refrain) (bis)

(Zachary Richard, « Travailler, c'est trop dur », Éditions Marais Bouleur, 1978)

1 C'est quéqu'chose j'peux pas faire.

2 J'espère de viv' vieux.

3 Je joue ma vieille valse pour faire le monde danser.

B

Faites correspondre les débuts de phrases aux fins de phrases qui conviennent pour reconstituer le refrain de la chanson.

1 Travailler 2 Voler 3 Demander	(a) la charité, c'est quelque chose que je ne peux pas faire. (b) c'est trop dur. (c) c'est pas beau.

C

Lisez le texte de la chanson et complétez les phrases avec les mots de l'encadré ci-dessous.

le monde • vieux • vieille • bien • belle • courte • grand • l'amour

Travailler, c'est trop dur

Chaque jour que moi j'vis, on m'demande de quoi j'vis.
J'dis que j'vis sur _____, et j'espère de viv' _____ !
Et je prends mon vieux ch'val, et j'attrape ma _____ selle
Et je selle mon vieux ch'val pour aller chercher ma _____.
Tu connais, c'est loin d'un _____ bout d'là, de Saint-Antoine à Beaumont
Mais le long du grand Texas, j'l'ai cherchée _____ longtemps.
Et je prends mon violon, et j'attrape mon archet,
Et je joue ma vieille valse pour faire _____ danser.

Vous connaissez, mes chers amis, la
vie est bien trop ________ courte
Pour se faire des soucis, alors...
allons danser !

(Zachary Richard, « Travailler, c'est trop dur »,
Éditions Marais Bouleur, 1978)

G3.9 L'infinitif comme sujet d'une phrase

Les exemples ci-dessous, relevés dans la chanson de Zachary Richard, nous montrent comment un verbe à l'infinitif peut être utilisé comme sujet d'une phrase :

> **Travailler**, c'est trop dur...
>
> **Voler**, c'est pas beau.
>
> **Demander** la charité, c'est quéqu'chose j'peux pas faire.

Dans cette structure, l'infinitif a la même valeur qu'un substantif et il devient le sujet du verbe « est ».

On peut construire des phrases sur ce même modèle, ou en variant le verbe conjugué. Par exemple :

> Vouloir, c'**est** pouvoir.
>
> S'expliquer **revient à** mentir.
>
> Lire tes livres **donne** des envies de voyage.
>
> Dans les années cinquante, jouer à la Comédie-Française **devient** son obsession.

Activité 3.3.11

Trouvez l'infinitif des verbes suivants et utilisez cette forme pour créer des phrases dont le verbe à l'infinitif est le sujet.

> **Exemple**
>
> **Nous préparons une mélodie.**
>
> → **Préparer** une mélodie, c'est difficile, cela demande beaucoup d'effort.

1. Elle **a préféré** Abba à Édith Piaf.
2. Ils **viendront** à 19 heures pour le concert.
3. Demain j'**irai** au cinéma avec toi.
4. Nous **prenons** le temps d'écouter de la musique tous les jours.
5. Vous vous **asseyez** toujours pour prendre votre déjeuner ?

Pour finir, voici l'interview d'un artiste surnommé le « poète bordelais aux cordes vocales barbelées ». À travers son amour pour les mots et pour son « art ignare », il vous fera découvrir une nouvelle forme artistique issue des cultures urbaines, le « slam ». Le slam est une forme de chant scandé ou parlé, parfois accompagné de musique.

Activité 3.3.12

Lisez l'interview ci-dessous et répondez aux questions de la page 59.

Poète peul amoureux

INTERVIEW DE SOULEYMANE DIAMANKA

Pour Souleymane Diamanka, de l'« ora-littérature » au slam, il n'y a qu'un pas, qu'il franchit allègrement avec ses rimes et sa voix de velours dans un album sombre et poétique. *L'Hiver peul* est sorti en avril 2007. Une traversée continentale dans le pays des songes et de la quête de soi à découvrir aussi sur scène...

[...]

Comment êtes-vous venu au slam ?

Presque naturellement, en fait. J'ai commencé par faire du hip-hop et du rap, avant de me rendre compte que je ralentissais beaucoup les tempos dans le rap, et à la fin je parlais presque.

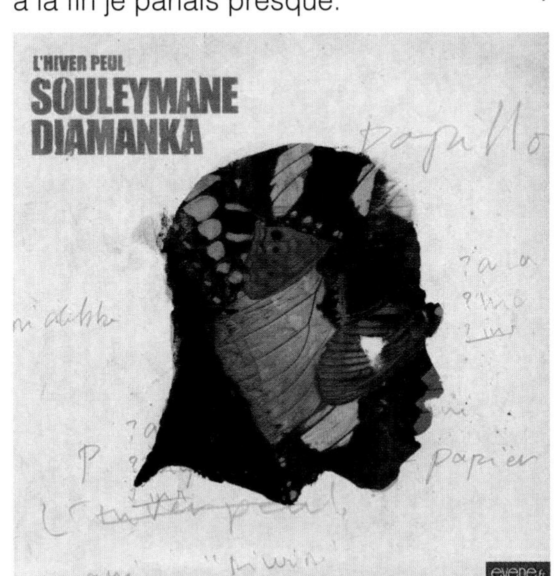

Lorsque j'étais à l'école, je disais aussi mes textes à voix haute pour les mémoriser. Et ça correspond en réalité à ce que je fais aujourd'hui. Mais la première fois que j'ai vu une scène slam à Paris, c'était dans un bar appelé l'Union bar, et c'était le collectif 129h et j'ai découvert que j'en faisais sans le savoir.

[...]

Vous insistez sur l'oralité, en quoi est-ce important pour vous ?

[...] L'oralité m'a aidé à développer une mémoire considérable. L'oralité, c'est aussi la confiance, lorsque les choses ne sont pas écrites. Je crois que nous avons perdu quelque chose avec l'avènement de l'écrit, en même temps que l'on en a gagné. C'est pour ça que, lorsque je parle de mon travail, je parle « d'ora-littérature ». C'est un trait d'union entre l'oralité qui est très importante pour moi et la littérature qui me nourrit.

L'« ora-littérature » ?

Amadou Hampâté Bâ disait : « En Afrique, un vieillard qui meurt, c'est une bibliothèque qui brûle ». J'ai envie d'être cette passerelle entre ces deux univers apparemment lointains, mais contigus en réalité, et qui se prolongent. C'est pour ça que je parle d'oralité manuscrite.

[...]

Quand on fait du slam, quel rapport entretient-on avec la musique ?

Le slam a capella, c'est déjà de la musique. Ensuite, la musique devient illustration sonore. On se sert des sons, des notes qu'on mélange à la poésie sans forcément qu'il y ait un rapport rythmique. Sur cet album j'ai enregistré tous les a capella, et les musiciens ont enregistré après. Les compositeurs ont fait la musique sur les voix. Ils ont enregistré ensuite, et j'ai reposé ma voix sur la musique pour faire du sur-mesure. Ce n'est pas la même démarche que pour le rap, par exemple. Je ne pose pas mes textes sur de la musique, c'est la musique qui épouse les mots, pour faire une sorte d'habillage sonore.

[...]

Quel rôle joue le slam aujourd'hui dans le paysage musical français, quel message délivre-t-il ?

Le slam amène essentiellement une écoute. Les bases du slam sont surtout dans des petits cafés, où les gens sont venus boire un verre. Et réussir à les capter grâce à la poésie, c'est formidable. La chose qui m'a marqué le plus, au départ, c'était l'écoute des gens. Mais les slameurs n'ont rien inventé ! On est dans un pays d'écriture, et il y a une vieille tradition des chansons à textes. Gainsbourg a fait la même chose. Le slam, ça amène juste un souffle nouveau et ça montre qu'il y a des auteurs en France. On a failli l'oublier...

Et la poésie dans tout ça ?

Je n'ai pas ouvert beaucoup de bouquins dans ma vie, et la poésie, je la vois partout. Je crois qu'il y a plus d'émotion qui se dégage de la vision de quelqu'un qui pleure dans un bus que de la lecture d'un livre où l'on raconte l'histoire de quelqu'un qui pleure dans le bus. Pour moi, la poésie est dans la vie... Et puis il y a la poésie de ma maman qui me disait toujours : « Si quelqu'un te parle avec des flammes, réponds-lui avec de l'eau ». La poésie c'est ça !

(Propos recueillis par Monia Zergane « Poète peul amoureux » pour Evene.fr, juin 2007, www.evene.fr/musique/actualite/interview-souleymane-diamanka-hiver-peul-1013.php, dernier accès le 1 septembre 2008)

Vocabulaire

poète peul poète issu du peuple d'Afrique occidentale, les Peuls

Notes culturelles

Amadou Hampâté Bâ écrivain africain, né à Ba-Diagara en 1900, décédé à Abidjan le 15 mai 1991

Serge Gainsbourg auteur, compositeur et interprète français mort en 1991. Il a beaucoup travaillé les mots et a innové dans les rythmes. Certaines de ses chansons trop explicites ont été bannies des radios françaises de son vivant mais aujourd'hui il est reconnu comme un grand poète et musicien du XXe siècle

1 Quelles sont, d'après l'artiste interviewé, les principales caractéristiques du slam ?

2 À quoi correspond le mot inventé « ora-littérature » ?

3 Quelle est, d'après l'artiste interviewé, l'importance de la musique dans le slam ?

4 À quelle vieille tradition française compare-t-il le slam ?

5 Que signifie pour vous : « Si quelqu'un te parle avec des flammes, réponds-lui avec de l'eau » ?

C3.7 La culture de l'oralité

Toutes les cultures ont un patrimoine oral, composé de chants (ballades, berceuses, chants de travail, et autres), de contes populaires, de proverbes, d'adages et de dictons. L'oralité est le mode d'archivage et de transmission de ce patrimoine. Pour faciliter cette transmission de bouche à oreille, les « textes » oraux sont bâtis selon les règles tacites de l'art de la parole : le rythme, les répétitions, les images y jouent un rôle essentiel. Plusieurs mots ont été proposés pour distinguer l'oralité de l'écrit tout en lui reconnaissant ses qualités littéraires : « orature », « auralité » ou « ora-littérature ». Ethnologues et anthropologues recueillaient depuis longtemps ces « textes », en France comme dans les pays d'Afrique. Mais c'est dans les années soixante que l'oralité, et la littérature orale en particulier, ont commencé à être vraiment étudiées. L'oralité cohabite avec l'écrit : ses « textes » sont recueillis, mis par écrit et traduits, mais aussi archivés sur support audio-visuel. Le renouveau du conte, mais aussi le chant, le rap, le slam, et bien d'autres formes orales, continuent à promouvoir une oralité aussi vivante que riche et diverse, qui puise aux sources de la tradition tout en s'inspirant de la vie quotidienne.

Activité 3.3.13

En une centaine de mots, commentez la phrase suivante : « En Afrique, un vieillard qui meurt, c'est une bibliothèque qui brûle ». D'abord expliquez ce qu'elle signifie pour vous. Ensuite dites si, d'après vous, elle peut s'appliquer au domaine de la musique.

Session 4 Septième art

Que l'on soit adepte des multiplexes, des salles « d'art et d'essai » ou encore des magasins de location de DVDs, le cinéma fait partie de notre culture et de notre quotidien. Dans cette dernière session vous allez aborder le thème du cinéma et réfléchir à la spécificité de la production cinématographique française et francophone.

Points clés

- G3.10 Les verbes suivis d'une préposition et d'un infinitif
- G3.11 Les pronoms « y » et « en »
- C3.8 La Nouvelle Vague
- C3.9 Le vocabulaire du cinéma
- C3.10 L'aide au cinéma
- O3.5 Raconter un film
- O3.6 Rédiger un synopsis de film

Aspects du cinéma français

Les activités qui suivent ont pour but de vous familiariser avec le monde du cinéma français et francophone. Vous découvrirez quelques cinéastes qui ont marqué l'évolution du cinéma français.

Activité 3.4.1

Faites correspondre ces répliques de cinéma, devenues très célèbres et parfois reprises par humour dans la conversation, à la description de la scène qui, selon vous, convient.

1 « Atmosphère, atmosphère, est-ce que j'ai une gueule d'atmosphère ? » (*Hôtel du Nord*, 1938)

2 « Moi, j'ai dit « bizarre » ? Comme c'est bizarre ! » (*Drôle de drame*, 1937)

3 « T'as de beaux yeux, tu sais... » (*Quai des brumes*, 1938)

(a) Deux personnages se regardent tendrement.

(b) Au cours d'une dispute, un personnage apostrophe son partenaire dans une attitude de défi.

(c) Un personnage est en pleine introspection.

Activité 3.4.2

A

Lisez le texte ci-dessous et dites si les affirmations de la page 62 sont vraies ou fausses selon le texte. Puis corrigez les affirmations fausses.

Le cinéma français au féminin

Phénomène unique au monde, les femmes assurent aujourd'hui en France, pour une très large part, la relève de la nouvelle génération de cinéastes : en dix ans à peine, elles sont parvenues à effectuer un rattrapage étonnant ! Si chacune d'entre elles a son style et son univers personnel, elles ont toutes en commun de bousculer le regard porté sur la réalité sociale, les relations familiales ou les rapports entre les sexes. Portrait de groupe.

Curieusement, un mouvement de renouveau du septième art comme la Nouvelle Vague, qui portait cependant un regard inédit sur la société, fut une occasion manquée pour l'émergence des femmes cinéastes : Truffaut, Godard, Rohmer et les autres n'étaient pas prêts à leur céder une once de terrain... Dans les années soixante-dix, le féminisme poussa certaines réalisatrices, comme Agnès Varda et Nelly Kaplan, à prendre leur caméra pour signer des œuvres militantes.

Aujourd'hui, l'engagement politique n'est plus que l'une des multiples facettes du cinéma au féminin. Car chaque femme cinéaste a son parcours, sa démarche singulière. Récompensées dans les principaux festivals de la planète, elles abordent tous les genres et tous les styles, font un cinéma pluriel, bousculent les idées reçues, dérangent souvent et offrent aux comédiennes des rôles que celles-ci n'auraient peut-être pas eus sans elles.

Si aucune réalisatrice ne ressemble à une autre, les femmes metteurs en scène se retrouvent pourtant autour de questionnements communs, qu'il s'agisse de leur regard sur la société ou de leur engagement politique, de la représentation qu'elles donnent de la sexualité et des relations entre hommes et femmes, ou encore de leur rapport à la famille et à l'enfance. On peut ainsi regrouper les principales cinéastes françaises de la nouvelle génération par « familles », en fonction de leur sensibilité et des thématiques qu'elles abordent – même si les frontières que nous traçons n'ont évidemment rien d'immuable...

Trop longtemps délaissé par le cinéma français, le social refait surface depuis le début des années quatre-vingt-dix, notamment sous l'impulsion des réalisatrices : s'éloignant du microcosme parisien où se tourne la plus grande partie de la production nationale, certaines femmes cinéastes se font les témoins attentifs de l'émiettement du travail, de la peur de s'engager et de la pérennité des clivages sociaux.

[...]

(Franck Garbarz, « Le cinéma français au féminin », *Label France*, n° 44, 2001)

Vocabulaire

assurent [...] la relève de donnent une impulsion dynamique à qch.

un cinéma pluriel des films de styles très différents

le social ce qui concerne les relations sociopolitiques

l'émiettement du travail le fait que le monde du travail s'est dégradé

clivages sociaux les différences sociales

Note culturelle

François Truffaut, Jean-Luc Godard, Éric Rohmer réalisateurs français, figures emblématiques du cinéma de la Nouvelle Vague (voir C3.8), ils ont aussi publié de nombreux articles pour la célèbre revue *Cahiers du cinéma*

		Vrai	**Faux**
1	Les femmes représentent une large proportion de la nouvelle génération de cinéastes français.	☐	☐
2	Les femmes cinéastes bousculent le regard porté sur les rapports entre les sexes.	☐	☐
3	La Nouvelle Vague a favorisé l'émergence de femmes cinéastes.	☐	☐
4	L'engagement politique est le thème principal des réalisatrices françaises.	☐	☐
5	Les réalisatrices françaises relancent le thème du social depuis le début des années quatre-vingt-dix.	☐	☐

B

Notez le temps des verbes dans les phrases ci-dessous. Quand deux verbes se suivent, le deuxième a une forme particulière : laquelle ?

1. En dix ans à peine, les femmes cinéastes sont parvenues à effectuer un rattrapage étonnant.
2. Le féminisme poussa certaines réalisatrices à prendre leur caméra pour signer des œuvres militantes.
3. On peut ainsi regrouper les principales cinéastes françaises de la nouvelle génération par « familles ».

G3.10 Les verbes suivis d'une préposition et d'un infinitif

En français, quand deux verbes se suivent, le deuxième est à l'infinitif :

> On **peut** ainsi **regrouper** les principales cinéastes françaises de la nouvelle génération par « familles ».

Certains verbes nécessitent une préposition lorsqu'ils sont suivis d'un verbe à l'infinitif :

> Le féminisme **poussa** certaines réalisatrices **à prendre** leur caméra pour signer des œuvres militantes.

Lorsque vous mémorisez un nouveau verbe, n'oubliez pas d'apprendre la préposition qui l'accompagne dans sa construction indirecte. Voici d'autres verbes suivis des prépositions « à » ou « de » dans leur construction indirecte :

1. Suivi de « à » :

   songer à ; réussir à ; apprendre à ; arriver à

2. Suivi de « de » :

   permettre de ; décider de ; tenter de ; choisir de

Attention, le verbe « continuer », dans sa construction indirecte, est suivi soit de la préposition « à », soit de la préposition « de » :

> Je continue mon travail.
>
> Je continue **à** voir des films étrangers.
>
> Je continue **de** voir des films étrangers.

Activité 3.4.3

Complétez les phrases suivantes en utilisant la construction qui convient (au présent ou au passé selon le contexte).

1. Quand je (songer) __________ faire ce film, j'ai téléphoné à un ami scénariste.
2. Sans hésiter une seconde, le scénariste (décider) __________ m'aider.
3. Généralement les films d'Agnès Jaoui (réussir) __________ faire salle pleine.
4. Il a lu tous les scénarios et il (choisir) __________ utiliser le meilleur d'entre eux.
5. Hier, ils (tenter) __________ pénétrer dans la salle sans payer leur place de cinéma.

C3.8 La Nouvelle Vague

La Nouvelle Vague est un important mouvement artistique dont l'impact a été international. La Nouvelle Vague a remis en question, vers la fin des années cinquante et le début des années soixante, la technique, la théorie et la critique du cinéma. Tout en abordant une nouvelle thématique, les artisans de la Nouvelle Vague ont aussi inventé une nouvelle façon de filmer et produire les films, grâce à l'expérimentation en matière de technique du récit et à l'utilisation de méthodes de tournage compatibles avec des budgets modestes.

À l'époque, de jeunes réalisateurs comme François Truffaut, Jean-Luc Godard, Claude Chabrol ou Louis Malle, jusque-là inconnus, se sont imposés avec des films inédits dans leur forme esthétique. On y découvrait de jeunes acteurs qui allaient bientôt devenir de véritables icônes du cinéma français : Jean-Paul Belmondo, Jeanne Moreau, ou encore Jean-Claude Brialy.

Activité 3.4.4

A

Lisez ce synopsis de film et complétez le tableau ci-contre.

Comme une image

Un film d'Agnès Jaoui avec Marilou Berry, Agnès Jaoui, Jean-Pierre Bacri, Laurent Grévill, Virginie Desarnauts

Lolita Cassard, vingt ans, en veut au monde entier, parce qu'elle ne ressemble pas aux filles des magazines, et aimerait tellement se trouver belle, au moins dans le regard de son père, trouver son regard tout simplement. Étienne Cassard regarde peu les autres, parce qu'il se regarde beaucoup lui-même et qu'il se sent vieillir. Pierre Miller, un écrivain, doute de jamais rencontrer le succès, jusqu'au moment où il rencontre Étienne Cassard. Sylvia Miller, un professeur de chant, croit en son mari, en son talent, mais doute du sien et de celui de son élève Lolita, jusqu'au moment où elle se rend compte qu'elle est la fille d'Étienne Cassard, cet auteur qu'elle admire tant. C'est l'histoire d'êtres humains qui savent très bien ce qu'ils feraient s'ils étaient à la place des autres mais qui ne se débrouillent pas très bien à la leur, qui la cherchent tout simplement.

(Le Quotidien du cinéma.com, « *Comme une image* », www.lequotidienducinema.com/critiques/commeuneimage_critique/critique_comme_une_image.htm, dernier accès le 1 septembre 2008)

Personnages	Profession ou activité
Lolita Cassard	Elle apprend le chant.
Étienne Cassard	auteur - père de Lolita
Pierre Miller	écrivain mari de Sylvia
Sylvia Miller	prof. de chant - mariée à Pierre

B

Relevez le trait de caractère ou l'habitude qui empêche chaque personnage, d'après le texte, de trouver sa place dans la société.

Personnages	Trait de caractère ou habitude
Lolita Cassard	Elle en veut au monde entier.
Étienne Cassard	
Pierre Miller	
Sylvia Miller	

C

Sylvia Miller se rend compte que Lolita est la fille d'Étienne Cassard. Imaginez, en un paragraphe d'environ 50 mots, les conséquences possibles de cette découverte. (Les professions des personnages mentionnés plus haut peuvent vous aider à deviner l'intrigue.)

Cinéma sans frontières

Depuis près d'un siècle, la France attire bon nombre de cinéastes et acteurs étrangers, grâce à sa réputation en matière de création artistique mais aussi à un système exceptionnel d'aide financière.

Activité 3.4.5

A

Racontez en quelques phrases les scènes décrites en images dans l'extrait du « scénarimage » (ou story-board).

B

Mise à part l'action qui se déroule, quelles autres informations nous fournit le story-board ? Notez-les en quelques mots.

élève de Sylvia Miller
Pupil
Lolita C - 20
Étienne C (Father) - veiller - auteur ~~écrivain~~
~~jamais rencontré~~
Pierre M - écrivain - no success
Sylvia Miller - prof. de chant

C3.9 Le vocabulaire du cinéma

Le **plan** est l'unité de base du film. Visuellement, un film est composé d'une succession de plans, de la même façon qu'un livre est composé d'une succession de phrases, qui sont les unités de base d'un récit écrit.

Au cinéma, il existe différents plans : le plan d'ensemble, le plan rapproché, le gros plan, l'arrière-plan, etc.

La **scène** est un ensemble de plusieurs plans, se rapportant à une même unité d'action ou à un même lieu.

La **séquence** est une suite de scènes qui forment un tout, même si elles ne se déroulent pas toujours dans le même décor.

Le **champ** correspond à l'espace pris en compte par la caméra. On ne voit à l'écran que ce qui est dans le champ de la caméra, le reste est **hors champ**. Ce qui se situe face au champ de la caméra est le **contrechamp**. Par exemple, au cours d'un dialogue filmé, la caméra peut prendre la place de l'acteur qui parle (champ) ou de celui qui ne parle pas (contrechamp).

Activité 3.4.6

Lisez l'article suivant et répondez aux questions de la page 67.

La France, terre d'accueil du cinéma étranger

Depuis qu'elle a vu naître chez elle le septième art, la France a toujours été une terre d'accueil pour les réalisateurs et les comédiens étrangers. De Carl Dreyer à Roman Polanski, en passant par Robert Altman, Nagisa Oshima ou Wim Wenders, ce n'est pas un hasard si tant de cinéastes ont choisi de tourner des œuvres juridiquement françaises. Grâce à un système d'aide et de coproduction exceptionnel développé ces dernières années, la France soutient aujourd'hui les cinémas du monde entier.

Né en France avec les frères Lumière, le cinéma fête cette année son centenaire. Aujourd'hui, si le marché impose les dures lois de la concurrence avec les productions américaines, le cinéma reste perçu, en France, comme le septième art plutôt que comme une industrie. C'est, entre autres, pour cette raison que, de tout temps, les réalisateurs étrangers, et notamment européens, ont trouvé en France des conditions favorables à la création de leurs œuvres.

Une tradition remontant aux années vingt

La première vague importante de cinéastes étrangers déferla sur la France après la Première Guerre mondiale, à l'époque où Paris était la capitale mondiale des artistes. Cette vague comprenait un bon nombre d'immigrants russes. Parmi eux, Ladislav Starevitch fut un pionnier du cinéma d'animation et Victor Tourjansky mena une carrière internationale en France, en Allemagne et en Italie jusque dans les années soixante.

[…]

La reconnaissance du cinéma comme un art

Jouant, dans les années soixante, à l'époque du général de Gaulle un rôle important dans la diffusion de l'idéologie tiers-mondiste, la France attira de nombreux cinéastes latino-américains comme Raul Ruiz ou Edgardo Cozarinsky. Dans les années soixante-dix, quelques réalisateurs polonais commencèrent à travailler en France : Roman Polanski, Andrzej Zulawski, Walerian Borowczyk.

Interrogés sur les raisons qui les ont poussés à choisir la France, les cinéastes étrangers mettent en avant la reconnaissance du réalisateur comme auteur, la liberté de création et le sérieux des techniciens. Pour certains, l'exil en France était tout simplement une question de survie. Tel fut le cas pour l'Américain John Berry, contraint de quitter son pays par la « chasse aux sorcières », qui sévissait dans les années cinquante à Hollywood, ou pour Raul Ruiz qui fuit le Chili après le renversement du président Allende.

[...]

Quant aux acteurs européens établis en France comme Jane Birkin ou Charlotte Rampling ou y travaillant régulièrement, comme Victoria Abril ou Marcello Mastroianni,[1] leur choix s'explique, là encore, par des affinités culturelles, le plaisir de travailler avec des cinéastes appréciés et d'être reconnus par le public français.

Chaque année, environ 120 films sont produits en France, ce qui la place en tête des pays d'Europe pour la vitalité de sa production. Cela s'explique en partie par les aides dont bénéficie en France le cinéma. Le système de l'avance sur recettes [...] existe depuis plus de trente ans. Mais d'autres aides ont également été mises en place au cours des dix dernières années au profit du cinéma non seulement français mais aussi étranger.

[...]

[1] Decédé en 1996.

(Marie-Christine Luton, « La France, terre d'accueil du cinéma étranger », *Label France*, nº 19, 1995)

Vocabulaire

le septième art le cinéma

tourner filmer

chasse aux sorcières persécution des communistes aux États-Unis, sous McCarthy

Note culturelle

l'avance sur recettes soutien financier ayant pour objectif d'aider à la réalisation de premiers films ou de films audacieux au regard des normes du marché

1 Pour chacune des décennies suivantes, notez un exemple de cinéaste étranger ayant choisi de tourner des films en France et indiquez brièvement ses raisons, selon le texte.

(a) Années vingt

(b) Années cinquante

(c) Années soixante

(d) Années soixante-dix

2 Mises à part les considérations politiques ou historiques, quelle est l'autre raison importante qui a poussé certains cinéastes étrangers à choisir la France ?

C3.10 L'aide au cinéma

La France possède un système d'aide unique au monde pour soutenir le cinéma d'auteur. En voici un échantillon : Sample

L'**aide directe** s'adresse aux grands réalisateurs étrangers ne trouvant pas de financement dans leur pays d'origine. Par exemple, *Le Sixième jour* de l'Égyptien Youssef Chahine en a bénéficié.

Le Fonds ECO aide la production cinématographique des pays d'Europe centrale et orientale. *Urga*, du Russe Nikita Mikhalkhov, en a bénéficié.

Le Fonds Sud aide les pays du Maghreb, d'Afrique, d'Asie, d'Amérique latine ou du Moyen-Orient. *Les Silences du palais*, de Moufida Tlatli, a vu le jour grâce à ce fonds.

Le Fonds Eurimages est une aide au niveau européen. Il a contribué à la réalisation de 227 longs métrages.

La **coproduction** permet à des chaînes de télévision comme Canal+ de s'investir dans la réalisation de longs métrages tels que *Les Visiteurs* de Jean-Marie Poiré.

Activité 3.4.7

Lisez le synopsis ci-dessous et choisissez la catégorie à laquelle, selon vous, ce film appartient.

Bamako

Melé est chanteuse dans un bar, son mari Chaka est sans travail, le couple se déchire. Dans la cour de la maison qu'ils partagent avec d'autres familles, un tribunal a été installé. Des représentants de la société civile africaine ont engagé une procédure judiciaire contre la Banque mondiale et le FMI qu'ils jugent responsables du drame qui secoue l'Afrique. Entre plaidoiries et témoignages, la vie continue dans la cour. Chaka semble indifférent à cette volonté inédite de l'Afrique de réclamer ses droits. [...]

(Martial Knaebel, « *Bamako* », www.trigon-film.ch/fr/movies/Bamako, dernier accès le 17 septembre 2008)

Vocabulaire

le FMI le Fonds monétaire international (organisation dont le rôle est de faciliter les échanges monétaires internationaux)

1 Une comédie ☐
2 Un western ☐
3 Un documentaire ☐
4 Une science-fiction ☐
5 Une fiction ☐
6 Un policier ☐

Activité 3.4.8

Lisez ci-dessous les explications du réalisateur de *Bamako* sur son film et sur le procès qui en est le centre, et répondez aux questions de la page 70.

Entretien avec Abderrahmane Sissako

Comment est né ce projet ?

Ce film est d'abord lié au désir de tourner dans la maison de mon père, aujourd'hui disparu. Cette maison se trouve à Bamako, dans le quartier populaire d'Hamdallaye. [...] Pour moi, cette maison est liée au souvenir de discussions passionnées avec mon père sur l'Afrique.

L'autre raison qui m'a poussé à faire ce film tient à mon regard sur l'Afrique – l'Afrique, non pas comme le continent qui est le mien, mais comme un espace d'injustices qui m'atteignent directement. Quand on vit sur un continent où l'acte de faire un film est rare et difficile, on se dit qu'on peut parler au nom des autres : face à la gravité de la situation africaine, j'ai ressenti une forme d'urgence à évoquer l'hypocrisie du Nord vis-à-vis des pays du Sud.

[...]

Peut-on dire que ce procès a une vertu cathartique ?

La vraie question est là : aucune juridiction n'existe pour remettre en question le pouvoir des plus forts. Il ne s'agissait pas tant de désigner les coupables que de dénoncer le fait que le destin de centaines de millions de gens est scellé par des politiques décidées en dehors de leur univers. Cela renvoie à la déclaration d'Aminata Traoré, l'une des témoins, qui refuse de considérer que la principale caractéristique de l'Afrique est sa pauvreté : non, dit-elle, l'Afrique est plutôt victime de ses richesses ! Je voulais donc donner de mon continent une autre image que celle des guerres et des famines. C'est en cela que la création artistique est utile – non pas pour changer le monde, mais pour rendre l'impossible vraisemblable, comme ce procès des institutions financières internationales.

[...]

A quoi correspond la scène de western-spaghetti ?

Pour moi, c'était une manière de montrer que les cowboys ne sont pas tous blancs et que l'Occident n'est pas seul responsable des maux de l'Afrique. Nous avons, nous aussi, notre part de responsabilité. C'est pour cela que le cowboy qui tire sur l'instituteur « en trop » est africain... D'ailleurs, une grande partie de l'élite africaine est complice de l'Occident : ils n'ont jamais eu le courage d'agir pour changer les choses car chacun veille égoïstement sur ses propres intérêts. J'ai donc envisagé cette séquence de western comme la métaphore d'une mission de la Banque mondiale ou du FMI – puisque ces missions sont menées conjointement par des Européens et des Africains.

Quels ont été vos partis-pris de mise en scène ?

Pour moi, le tournage du procès devait s'inscrire dans une démarche quasi-documentaire : on ne devait pas interrompre une scène, ni demander à un témoin de reprendre sa phrase et on laissait le président du tribunal et les avocats écouter les témoignages puis intervenir comme ils l'entendaient. Nous avons utilisé quatre caméras vidéo et un preneur de son, en les rendant délibérément visibles à l'image. Car je voulais qu'on s'habitue à ce dispositif technique, comme dans n'importe quel procès. Et c'est moi qui décidais de cadrer tel ou tel personnage, comme dans une régie télé.

Pour les scènes extérieures au procès, on a, en revanche, adopté une mise en scène de fiction, avec un découpage, des champs-contrechamps, des plans-séquence,... et on a tourné en film. C'est ainsi que j'ai été amené à réunir dans un même film des acteurs professionnels, de vrais avocats, magistrats et témoins, des habitants du quartier, des membres de ma famille.

Vous faites aussi intervenir un personnage muni d'une caméra...

Le personnage de Falaï, le cameraman, fait des images aussi bien pour les mariages que pour la police criminelle. Mais il dit qu'il préfère filmer les morts, « ils sont plus vrais ». J'ai voulu montrer les images qu'il tourne en caméra subjective, sans son. Ces images représentent pour moi le regard de ceux qui n'ont pas droit à la parole.

(ARTE, « *Bamako*, la cour : Entretien avec Abderrahmane Sissako », www.arte.tv/fr/2218956.html, dernier accès le 17 septembre 2008)

Notes culturelles

Bamako capitale du Mali et important port situé sur le fleuve Niger

Abderrahmane Sissako né en 1961 en Mauritanie, il a suivi des études de cinéma en Union soviétique, au VGIK (l'Institut national de la cinématographie), à Moscou

1. Quelles étaient les motivations d'Abderrahmane Sissako lorsqu'il a réalisé *Bamako* ?
2. Que dénonce le procès filmé dans *Bamako* ?
3. Quelle est l'utilité de la création artistique d'après Abderrahmane Sissako ?
4. Comment s'explique la scène du western-spaghetti ?
5. Quelles sont les techniques empruntées au documentaire utilisées dans *Bamako* ?
6. Falaï tourne « en caméra subjective ». Qui fait-il parler à travers ses images ?

À la découverte d'un réalisateur : Robert Guédiguian

Marius et Jeannette a remporté il y a quelques années un succès considérable sur le plan national et international. Comme dans la plupart des films de Robert Guédiguian, l'histoire se situe à Marseille. Dans les textes suivants, vous allez faire la connaissance des personnages clés de l'histoire.

Activité 3.4.9

A

Lisez le texte ci-contre et complétez le tableau suivant.

Les personnages	
Les lieux	
Les professions	
L'histoire	
Les thèmes abordés	

Un conte de l'Estaque

Note d'intention hâtive

Tout ce qui est petit étant par définition joli, il s'agit d'écrire un petit conte contemporain.

Marius et Jeannette ont quarante ans. Ils sont ouvriers et vivent à l'Estaque, le quartier de Marseille connu grâce aux impressionnistes (et aux films de Robert Guédiguian). Outre les difficultés liées à leur situation sociale (et le film en parlera abondamment), ils sont blessés par… la vie. Ce conte ne va décrire qu'une chose, la renaissance de leur capacité à être heureux.

Le récit se structurera dans deux théâtres : une usine désaffectée, immense, qui domine la mer, et une courette typique de l'habitat traditionnel du Sud.

Dans l'usine désaffectée, Marius vit seul. Dans la courette, Jeannette est « soutenue » par ses voisins, deux autres « couples ». Ces deux autres couples nous permettront de parler de Castro, de Le Pen, de la déportation, des grèves, du foot et aussi… du favisme (maladie mortelle liée à l'ingestion de fèves fraîches).

Bien sûr, cette histoire se terminera bien car… il le faut.

Il faut ré-enchanter le monde.

(ARTE/Robert Guédiguian et Jean-Louis Milesi, « *Marius et Jeannette* : un compte de l'Estaque », http://archives.arte-tv.com/special/marius/ftext/mj_scenar.html, dernier accès le 1 septembre 2008)

B

D'après le bref descriptif que vous venez de lire, notez les éléments de l'histoire qui rendent les deux personnages principaux semblables ou différents l'un de l'autre.

O3.5 Raconter un film

Pour raconter un film, il faut prendre en compte cinq éléments du récit :

1. Lieu(x)
2. Personnage(s) (principal/principaux et secondaire(s))
3. Intrigue(s)
4. Action(s)
5. Dénouement.

Un film a toujours un début, un milieu et une fin. Avant de démarrer votre récit, plantez le décor (le lieu, la période) et présentez les personnages (principaux et secondaires). Puis expliquez l'intrigue ou le thème central du film en quelques phrases. Décrivez par quelles actions l'intrigue progresse. Enfin, si votre interlocuteur souhaite le savoir, expliquez comment le film finit.

Activité 3.4.10

A

Lisez ci-dessous le début du scénario de *Marius et Jeannette*, où les deux personnages principaux se rencontrent pour la première fois, et répondez aux questions de la page 73. L'extrait suivant contient des mots qui peuvent choquer.

GÉNÉRIQUE

Port de Marseille. Un globe terrestre flotte sur l'eau et rentre au port sur la chanson :

« Il pleut sur Marseille, le port rajeunit
il pleut sur Marseille, Notre-Dame sourit
il pleut, eh oui il pleut, le soleil se languit
il pleut, beaucoup, un peu,
ma ieu m'en fouti,
ma ieu m'en fouti... »

Au fond de l'eau, un panneau de l'Estaque indique la direction que suit le globe.

1 CIMENTERIE – Ext. Jour

Des engins démolissent une usine, arrachent la ferraille comme on étripe un lapin... Sous le regard de Marius, la quarantaine, en salopette rouge, un fusil à lunette à la main. C'est le vigile de cette ancienne cimenterie, longée par une voie ferrée. Au loin on aperçoit un bout de mer.

Jeannette s'agrippe à des tuyaux et escalade. C'est une femme de quarante ans, vêtue en jeans (pantalon et blouson). Elle s'approche d'un amoncellement de pots de peinture de vingt kilos, plus ou moins en train de rouiller. Elle en prend un dans chaque main...

JEANNETTE : Putain, je me ruine le dos...

UNE VOIX : Hè ! Là-bas ! Arrête-toi !

JEANNETTE : Merde ! Y'manquait plus que ça. Un gardien !

Elle pose les pots et attend.

Marius s'approche dans son dos, le fusil toujours à la main, boitant de la jambe droite. Elle se retourne.

JEANNETTE : Ma maison va tomber en ruine si je mets pas une couche de blanc sur les murs, elle est fermée depuis six mois cette usine, tout le monde les a oubliés ces malheureux pots de peinture. Si je les prends pas, ils vont pourrir sur place !... Tu pourrais me les donner ?

MARIUS : Mais elle est barjo. T'i'es barjo ou quoi ! Tu crois qu'ils sont à moi ces pots de peinture ? On me paye pour les garder. Donne-moi tes papiers.

JEANNETTE : Mes papiers !

MARIUS : Oui, tes papiers.

JEANNETTE : Et en plus, tu vas me dénoncer aux flics ! Bé, garde tes pots et lâche-moi, elle est pas à toi cette usine, tu viens de le dire ! J'ai pas de sou pour la peinture. Je vais pas aller en tôle pour ça ! Je suis pas la fille de Jean Valjean, moi. Alors, je te rends tes pots et je me barre.

MARIUS : Dis, arrête un peu de parler et donne-moi tes papiers, je te dis.

Jeannette lui tend son portefeuille. Il lit les papiers.

JEANNETTE (*à voix basse*) : Fasciste.

MARIUS : Quoi ! Qu'est-ce que t'i'as dit !

JEANNETTE (*criant*) : J'ai dit « fasciste » ! T'i'es un ouvrier comme moi, non ! Qu'est-ce t'i'en as à foutre de cette peinture, merde ! Heureusement que je suis pas arabe, sinon tu m'aurais tiré dessus.

Marius : Stop ! Tais-toi ! Prends tes papiers et va-t'en, hein !...

Jeannette : Ben, c'est gent...

Marius : Chut ! Chut ! Tais-toi ! Va-t'en en silence... En silence.

Elle recule lentement.

Jeannette : Et la peinture ?

Marius : Allez, allez !

Il la regarde s'éloigner.

(ARTE/Éditions Hachette (dans la collection Scénars), « *Marius et Jeannette* », 1997, http://archives.arte-tv.com/special/marius/ftext/mj_scenar.html, dernier accès le 1 septembre 2008)

Vocabulaire

se languit s'ennuie (langue de Marseille)

ma ieu m'en fouti je m'en fiche, cela m'est égal (langue provençale)

t'i'es barjo (arg.) tu es fou, folle

bé eh bien (langue de Marseille)

lâche-moi (fam.) cesse de m'importuner (ici au sens figuré) : au sens propre « lâcher quelqu'un » veut dire cesser de le tenir ou retenir physiquement

Notes culturelles

l'Estaque célèbre quartier de Marseille, peint par les Impressionnistes

« Il pleut sur Marseille » chanson écrite par Jean-Louis Milesi (scénariste du film)

la fille de Jean Valjean référence à Cosette, personnage du roman *Les Misérables* de Victor Hugo

1 Trouvez dans le dialogue l'équivalent familier des expressions suivantes.

Exemple

Il ne manquait plus que ça.

→ « Y'manquait plus que ça. »

(a) Mais elle est folle

(b) Aller en prison

(c) Je m'en vais

2 Au cours du dialogue, Jeannette essaie plusieurs stratégies pour obtenir du gardien ce qu'elle veut (les pots de peinture). À quelle stratégie de l'encadré ci-dessous correspondent les répliques qui suivent ?

la provocation • la révolte • la gratitude • la culpabilisation • l'audace • l'insulte

(a) « Et en plus, tu vas me dénoncer aux flics ! »

(b) « Fasciste »

(c) « T'i'es un ouvrier comme moi, non ! Qu'est-ce t'i'en as à foutre de cette peinture... »

(d) « Heureusement que je suis pas arabe, sinon tu m'aurais tiré dessus. »

(e) « Ben, c'est gent[il]... »

(f) « Tu pourrais me les donner ? »

B

Marius et Jeannette se tutoient dès leur premier échange. Pourquoi ce tutoiement, selon vous ?

C

Expliquez en quelques mots pourquoi, d'après vous, Marius laisse finalement partir Jeannette sans plus insister.

Dans l'encadré ci-dessous se trouvent les questions de l'intervieweur qui s'entretient avec Guédiguian dans le texte suivant. Replacez les questions à leur place (a, b, c ou d) dans le texte.

1 Vous ne trouvez pas que sur tous ces thèmes, vous êtes un peu... hâtif ?
2 Comment définiriez-vous votre film ?
3 ... la cour ressemble étrangement à une scène de théâtre.
4 Pourquoi un conte ?

(a)
C'est une histoire d'amour. Pas Sissi et l'Archiduc. J'ai beau m'évanouir devant Romy Schneider, les histoires d'amour chez les riches, je n'y crois pas. Ce sont des histoires de domaine, d'alliance, d'argent... De pouvoir.

Non, une histoire d'amour chez les pauvres, là où il n'y a vraiment aucun intérêt en jeu dans le fait de vivre ensemble... 'Y aurait plutôt des soucis supplémentaires.

(b)
Parce que ce n'est pas vrai. Que tout se passe aussi bien et aussi simplement que cela, c'est faux. La vie n'est pas comme cela. Et croyez-moi, j'en suis conscient. *(Sourire)*

C'est donc une proposition, une envie de lumière, d'air frais, de bonheur, malgré tout, possible. La comédie, le burlesque, le mélodrame, bref les « contaminations stylistiques » sont là pour produire un enchantement, pour générer de la vitalité.

[...]

(c)
Absolument. Les voisins de Jeannette constituent le chœur antique. Ce qui me permet d'intervenir dans le débat crucial de la recette de l'aïoli [1], de faire de la publicité pour *l'Humanité* (qui va mal) et pour *Le Monde diplomatique* (qui va bien), d'insister sur le fait que voter Le Pen ne serait-ce qu'une fois est une fois de trop, que les grandes religions monothéistes ont une origine commune... Bref, de situer dans son contexte actuel cette histoire d'amour.

(d)
Pire, je dis des évidences. Des choses compréhensibles, quoique non comprises. Pour qui je fais des films ? Pour vous qui en savez long sur les risques de l'intégrisme religieux, par exemple, ou pour des gens pour qui ce n'est pas encore évident ? Jusqu'où doit-on être subtil ? N'y a t-il pas des choses qu'il faut sans cesse réaffirmer sous des formes sans cesse renouvelées ? L'art n'a-t-il pas une fonction pédagogique, politique, sociale... Cela pose quelques questions qui, je crois, n'ont pas de réponses définitives. Selon les moments de l'histoire du cinéma, mais aussi de l'Histoire tout court, les artistes répondent d'une manière ou d'une autre. Ici et maintenant, c'est ma manière de répondre.

[...]

[1] L'ail est une plante qui prouve que les classes existent encore, au moins au niveau du goût.

(ARTE, « Entrevue avec Robert Guédiguian à propos de *Marius et Jeannette* », 1997, http://archives.arte-tv.com/special/marius/ftext/mj_entrevue.html, dernier accès le 1 septembre 2008)

Notes culturelles

Sissi et l'Archiduc référence à un film célèbre intitulé *Sissi impératrice* avec l'actrice Romy Schneider dans le rôle principal

l'Humanité quotidien national de tendance communiste

Le Monde diplomatique mensuel spécialisé dans les questions internationales

B

Lisez les phrases suivantes, tirées de l'interview de Guédiguian, et expliquez à quoi se réfèrent les mots en caractères gras.

1 Les histoires d'amour chez les riches, je n'**y** crois pas.

2 La vie n'est pas comme cela. Et croyez-moi, j'**en** suis conscient.

3 Pour qui je fais des films ? Pour vous qui **en** savez long sur les risques de l'intégrisme religieux, par exemple.

La mairie sur le port de Marseille

G3.11 Les pronoms « y » et « en »

Voici une explication récapitulative des principales utilisations des pronoms « y » et « en » :

Y

1 Remplace les noms de choses précédés par « à » :

– Vous croyez **à cette histoire** ?

– Non, je n'**y** crois pas.

2 Remplace un complément de lieu :

– Tu travailles **dans ce bureau** depuis longtemps ?

– Oui, j'**y** travaille depuis dix ans.

3 Expressions idiomatiques :

Je m'**y** connais.

Il n'**y** est pour rien.

Ça **y** est, c'est fini !

En

1 Remplace les noms de choses précédés par « de » :

– Êtes-vous conscient(e) **de la difficulté** ?

– Oui, j'**en** suis conscient(e).

2 Remplace une quantité indéterminée (« du, de la, des ») :

– Il y a **des pots de peinture.**

– Elle **en** prend un dans chaque main.

3 Expressions idiomatiques :

J'**en** ai assez, j'**en** ai marre.

Tu n'**en** peux plus.

Ne vous **en** faites pas.

Activité 3.4.12

Complétez les phrases suivantes avec « y » ou « en ».

1. Je suis fatiguée de travailler tous les week-ends, j'____ ai marre, je n'____ peux plus !
2. Ce n'est pas lui qui a cassé la vaisselle, il n' ____ est pour rien !
3. De l'aïoli, on ____ mange beaucoup à Marseille.
4. Pour préparer la bouillabaisse, le chef s' ____ connaît, faites-lui confiance !

Activité 3.4.13

A

Relisez les synopsis de *Comme une image* (page 64) et *Bamako* (page 68) et donnez une définition de ce qu'est un synopsis.

B

Qu'est-ce que le synopsis ne nous raconte pas, en général ?

O3.6 Rédiger un synopsis de film

Un synopsis est un document qui doit pouvoir se lire d'un seul coup d'œil pour donner une vue d'ensemble (du préfixe grec *syn*, qui veut dire « ensemble », et *opsis*, suffixe grec qui signifie « vue ») sur le film, en une page environ et jusqu'à trois pages maximum pour les films longs. C'est une sorte de résumé du film qui ne révèle pas clairement la fin ou le dénouement de l'intrigue. L'écriture d'un synopsis est en général une étape qui précède l'écriture du scénario. Le synopsis peut s'utiliser pour convaincre un producteur de s'intéresser à un projet de film. On peut le trouver aussi affiché dans les halls d'entrée des cinémas, comme « mise en bouche » pour attirer des spectateurs. Mais c'est surtout un excellent exercice, qui oblige son auteur à la précision et la concision.

Activité 3.4.14

À partir des informations que vous avez rassemblées sur le film *Marius et Jeannette* au cours de vos lectures précédentes, rédigez en moins de 100 mots un synopsis correspondant à ce film.

Activité 3.4.15

A

Pensez à un film que vous avez vu récemment ou qui vous a particulièrement marqué et remplissez le tableau suivant. Selon que votre souvenir sera plus ou moins précis, vous noterez quelques détails ou vous donnerez des réponses un peu plus élaborées.

Lieu(x)	
Personnage(s) (principal/ux et secondaire(s))	
Intrigue(s)	
Action(s)	
Dénouement	

B

Racontez le film en 300 mots à partir de la grille que vous venez de remplir. Vous pourrez conclure en donnant par exemple votre opinion personnelle sur le scénario, la qualité des décors ou le jeu des acteurs.

Session 5 Révision

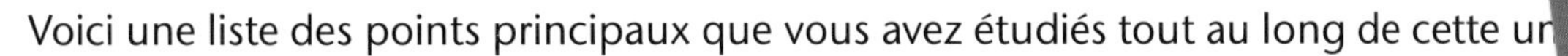

Voici une liste des points principaux que vous avez étudiés tout au long de cette un

Cochez la case correspondante pour indiquer si vous vous sentez vraiment capable de les mettre en pratique.

Si vous n'êtes pas sûr(e) de pouvoir employer certains de ces points, revoyez les points clés correspondants et refaites les activités qui leur sont associées.

Je sais…	Oui	Non	Points clés	Activités
Utiliser le subjonctif	☐	☐	• G3.1 Exprimer le souhait ou la crainte avec le subjonctif • G3.2 La formation du subjonctif présent	• 3.1.4 • 3.1.5 • 3.1.6
Utiliser la forme passive	☐	☐	• G3.3 La formation du passif • G3.4 L'utilisation du passif	• 3.1.9 • 3.1.10
Reformuler à l'écrit ou à l'oral	☐	☐	• O3.1 Rédiger un résumé • O3.5 Raconter un film • O3.6 Rédiger un synopsis de film	• 3.1.13 • 3.4.15 • 3.4.14
Utiliser le conditionnel présent	☐	☐	• G3.5 Exprimer une hypothèse et sa conséquence • G3.6 La formation du conditionnel présent	• 3.2.5 • 3.2.6
Comparer	☐	☐	• G3.7 Établir des comparaisons • G3.8 La progression dans la comparaison	• 3.2.13 • 3.3.5
Construire un texte écrit	☐	☐	• O3.4 Rédiger une introduction et une conclusion	• 3.3.3
Utiliser les pronoms « y » et « en »	☐	☐	• G3.11 Les pronoms « y » et « en »	• 3.4.12
Utiliser la construction verbale qui convient	☐	☐	• G3.10 Les verbes suivis d'une préposition et d'un infinitif	• 3.4.3

…rigés

Session 1

Activité 3.1.1

Voici des réponses possibles :

- Littérature : André Malraux, Michel Houellebecq, Samuel Beckett, Molière
- Architecture : Le Corbusier, Jean Nouvel
- Cinéma : Jean-Luc Godard, Robert Guédiguian, Jean Reno, Yasmina Reza
- Théâtre : Molière, Samuel Beckett, Eugène Ionesco, Yasmina Reza
- Chanson : Tri Yann, Manu Tchao, Céline Dion

Activité 3.1.2

A

1 L'écrivain et ministre de la Culture, André Malraux.

2 Elle a été installée dans des bâtiments spécifiquement prévus pour elle, et non pas dans des bâtiments construits pour d'autres usages.

3 Elles servent à décentraliser la culture, qui était trop « parisienne », et à ouvrir à tous l'accès à la culture.

4 L'arrivée de la flamme olympique en 1968 a coïncidé avec l'ouverture de la maison de la culture.

5 « Le Cargo » et « MC2 ».

B

Voici une réponse possible :

> « Le Cargo » évoque le voyage, la puissance et l'industrie. Pour certains, ce choix rappelle que la maison de la culture emporte les imaginations très loin, comme ces navires marchands qui sillonnent le globe. Pour Jean-Claude Gallotta, cela évoque un endroit très actif, où l'on produit et transporte quelque chose de précieux : la culture. Pour d'autres, c'est plutôt un surnom péjoratif, qui se réfère à son architecture.
>
> Le surnom « MC2 » peut évoquer à la fois le fait que c'est la maison de la culture numéro 2, et la célèbre formule d'Einstein correspondant à l'énergie : $E = mc^2$, suggérant ainsi que la nouvelle maison de la culture « MC2 » est synonyme d'énergie artistique.

Activité 3.1.3

A

1 Malraux **voulait que/désirait que** la maison de la culture puisse transmettre le patrimoine classique et moderne.

2 Malraux **voulait/souhaitait** donner au public la possibilité d'emprunter des œuvres d'art.

3 Malraux **voulait/souhaitait** permettre au public de bénéficier sous un seul toit des arts de la scène, des arts plastiques et d'une bibliothèque.

4 Malraux **voulait que/désirait que** la culture devienne plus facilement accessible à tous.

B

1 Malraux veut/souhaite/désire + **verbe à l'infinitif**.

2 Malraux veut/souhaite/désire que + **verbe au subjonctif**.

Activité 3.1.4

A

1 subjonctif
2 indicatif
3 subjonctif
4 indicatif
5 indicatif
6 subjonctif

B

Voici trois phrases possibles :

1 Tu penses que les maisons de la culture **vont** un jour disparaître ?
2 Vous espérez sans doute que le public **viendra** nombreux.
3 J'imagine qu'elle n'**a** jamais joué un rôle aussi difficile.

Activité 3.1.5

A

1–(e) ; 2–(c) ; 3–(b) ; 4–(f) ; 5–(d) ; 6–(a)

B

1 joue
2 accordes
3 rembourse
4 commandions
5 achetiez
6 réservent

C

1 donn**e**
2 donn**es**
3 donn**e**
4 donn**ions**
5 donn**iez**
6 donn**ent**

Activité 3.1.6

A

1 plaise
2 disions
3 prennent
4 puisse
5 soient

B

Voici trois souhaits possibles :

1 Je souhaite qu'il fasse beau pendant nos prochaines vacances en Bretagne.
2 Je souhaite que toute la famille soit en bonne santé cette année.
3 Je souhaite que Robert réussisse ses examens de fin d'année.

Activité 3.1.7

A

Voici des commentaires possibles :

1 Théâtre : « Tous en scène ! Cette saison à la MJC... »
2 Modélisme : « Toujours prêts à décoller... et à recoller les morceaux au club de la MJC ! »
3 Nautisme : « Et vogue le navire... Rejoignez le club nautique de la MJC »
4 Karaté : « Bruce Lee en herbe : RDV au dojo de la MJC tous les week-ends »
5 Musique : « En avant la musique ! Tous les mercredis à la MJC »

B

Se sentir bien dans sa ville, en connaître les ressources et apprécier tous les services qu'elle peut offrir est important pour rendre la vie quotidienne plus agréable.

Accueillir, **écouter**, conseiller, **partager**, divertir, telle est la mission de la maison des jeunes et de la culture de Wasquehal.

Lieu privilégié de **convivialité**, il permet d'avoir des rencontres, du **dialogue**, de l'écoute et de la détente.

Depuis de nombreuses années, les différents directeurs de la MJC mettent leur dynamisme et leur **créativité** au service de chacun et vous proposent, quels que soient votre **âge**, votre situation et vos **besoins**, de multiples **activités**. Elles se traduisent par des actions **éducatives**, de loisirs, culturelles et socioprofessionnelles qui s'adressent à tous.

L'identité et l'originalité de la MJC reposent sur la **participation** active des usagers. L'animation d'une ville, c'est l'affaire de tous. Chacun peut y apporter sa pierre. C'est ce qui en fait aussi toute la **diversité** et la richesse.

Alors n'hésitez pas, poussez la porte du centre socioculturel. Une équipe de professionnels sera heureuse de vous y accueillir tout au long de l'année.

C

1 Accueillir, écouter, conseiller, partager, divertir.

2 À tous, quels que soient l'âge, la situation ou les besoins.

3 Des actions éducatives, de loisirs, culturelles et socioprofessionnelles.

4 La participation active de ses usagers. Chacun peut y apporter sa pierre.

Activité 3.1.8

A

- Prendre une carte d'adhésion valable 1 an.
- Fournir une photo d'identité.
- Compléter une fiche sanitaire (pour les mineurs).
- Remplir une fiche de renseignements (pour les 18–25 ans et + de 25 ans).
- Régler toute activité au début de l'année (en chèques, espèces ou chèque J.'Loisirs).

B

1 L'inscription **est prise en compte**.

2 La fiche de renseignements **est remplie**.

3 Le paiement échelonné **est accepté** en trois fois.

4 Aucune réduction **ne sera prise en compte**.

Activité 3.1.9

1 De nombreux services **sont offerts** par la MJC aux adhérents.

2 L'année dernière, beaucoup d'activités artistiques et sportives **ont été proposées**.

3 Cette année, plusieurs actions éducatives et socioprofessionnelles **seront développées**.

4 Vous **êtes attendus** avec impatience par l'équipe d'animation.

5 Vous **serez accueillis** par une équipe de professionnels tout au long de l'année.

Activité 3.1.10

A

1 Non, « téléphoner à », construction indirecte.

2 Oui.

3 Non, « s'abonner à », construction indirecte.

4 Oui.

B

Voici une suggestion pour un règlement intérieur :

- Seuls les adhérents de l'association ont accès au gymnase et au complexe sportif.
- Les installations sont accessibles de 8 h 00 à 22 h 00. Ces horaires peuvent être modifiés en fonction des disponibilités du personnel.
- La surveillance de tous les secteurs du complexe ainsi que du gymnase est normalement assurée par un gardien.
- En l'absence du gardien, les vérifications de sécurité sont confiées aux utilisateurs.
- Les heures réservées pour un coaching individuel doivent être payées d'avance. En cas de non-utilisation, aucun remboursement ne sera effectué.
- Aucune machine ne sera utilisée sans la présence d'un moniteur.
- Il est rappelé que le déplacement du gros matériel (machines, etc.) ainsi que l'emprunt du petit matériel (ballons, etc.) est strictement interdit.
- Les vélos et motos doivent stationner devant le gymnase et sont interdits à l'intérieur du complexe.

Activité 3.1.11

A

Voici une réponse possible :

> Le tag semble être une signature ou une écriture faite rapidement alors que le graff est figuratif, il représente quelque chose et il est en couleur. Le graff contient des éléments de calligraphie. Le flop est une écriture en relief qui joue sur les ombres et lumières. Cela lui donne un aspect gonflé.

B

Voici une réponse possible :

> D'après les photos, il me semble que les graffs sont plus artistiques que les tags, par exemple. Ils représentent des scènes souvent très complexes à réaliser. Je n'ai pas le même avis concernant les tags, qui sont souvent posés n'importe où et ne tiennent pas toujours compte de l'aspect esthétique des choses.

Activité 3.1.12

A

1–(b) ; 2–(a) ; 3–(b) ; 4–(a) ; 5–(a) ; 6–(a) ; 7–(b) ; 8–(b) ; 9–(b) ; 10–(b) ; 11–(a) ; 12–(b) ; 13–(a) ; 14–(b)

B

Si votre résumé s'adresse à un habitant du quartier qui paie ses impôts, ou à des visiteurs, il faudrait abandonner les idées secondaires que vous avez cochées dans l'étape précédente et vous concentrer sur le rôle et le soutien de la mairie, le rôle économique et culturel du projet. Cependant, si votre résumé s'adresse à un jeune de quartier, votre résumé pourrait plus se focaliser sur le côté créatif, artistique et convivial du projet. Les points 9 et 14, par exemple, prendraient plus d'importance.

Activité 3.1.13

Voici un résumé possible, pour un lectorat de contribuables locaux:

> Pour redonner de la couleur aux poubelles calcinées, la collectivité, avec le soutien de la mairie, a encouragé un groupe de jeunes graffeurs de la MJC du quartier à laisser parler leur créativité.

Ils ont montré à tous que la jeunesse des quartiers était capable d'autre chose que de casser. Durant les vacances de la Toussaint, un groupe d'une vingtaine de jeunes de Bellevue a « relooké » quatre conteneurs qui avaient été endommagés par des incendies volontaires.

Les habitants se sont eux aussi prêtés au jeu et nombreux sont aujourd'hui les riverains qui aimeraient voir un peu de couleurs sur leurs conteneurs. Séduites par l'initiative, d'autres structures de Bellevue ont, quant à elles, sollicité Aziz et ses graffeurs qui, grâce à quelques coups de bombes, ont définitivement redonné ses lettres de noblesse à un art de la rue à découvrir.

Activité 3.1.14

A

1. Parce que Nazeem est très créatif depuis les années quatre-vingt-dix (peignant les murs du port, les parkings et d'autres espaces publics autorisés).
2. La bonne ambiance entre graffeurs, le mélange des cultures, un vrai échange.
3. De graffer consciencieusement, de savoir d'où vient la discipline, de connaître son histoire.
4. Non, ce sont des œuvres éphémères.
5. Les tags sont des actes de vandalisme.

B

Voici une réponse possible :

> Pour moi, les graffs ont une valeur artistique certaine. Ce ne sont pas des graffiti faits en cachette à toute vitesse sur un coin de mur mais plutôt de véritables œuvres d'art, des fresques immenses répondant à des critères précis, s'inscrivant dans un mouvement artistique complexe qui englobe plusieurs disciplines telles que la musique, la peinture, la photo, et même le théâtre de rue. En effet, on peut voir sur l'Internet des mini films – sur YouTube, par exemple – d'artistes graffeurs filmant la réalisation complète de leur œuvre, de la première esquisse à la touche finale. Ils peignent tout en dansant sur un fond de musique hip-hop, elle aussi issue des cultures urbaines.
>
> Les graffs ne sont pas faits pour durer, ils sont en général recouverts par d'autres graffs, donc la photo prend le relais pour immortaliser ces œuvres éphémères. Les graffs embellissent les murs de la ville, couvrant ainsi leur grisaille et souvent leur saleté. On peut aussi voir des véhicules couverts de graffs mais aussi des rideaux de magasins, ce qui les rend bien plus gais que les monotones devantures métalliques habituelles !

Activité 3.1.15

A

Les éléments qui les différencient sont l'âge, le style vestimentaire, l'origine ethnique, l'enthousiasme, le caractère et la parole.

B

Voici une réponse possible :

> L'animateur est un idéaliste très enthousiaste. Il semble qu'il ne s'intéresse pas vraiment à ce que pensent les jeunes. Il parle une langue de bois que personne ne comprend. Il est « dans sa bulle », dans son monde fermé, certain de répondre

aux besoins des jeunes sans avoir pris le temps de leur demander leur avis.

C

L'animateur de quartier est affligé ! Il rêvait de voir un graff illustrant la vie de la cité, et il

s'aperçoit que les tags des jeunes sont plutôt grossiers et indiscrets vis-à-vis des habitants des Pâquerettes !

Session 2

Activité 3.2.1

A

1–(c) ; 2–(e) ; 3–(d) ; 4–(a) ; 5–(b)

B

Cette partie n'a pas de corrigé, mais pensez dans quelques jours à tester votre connaissance des citations apprises par cœur.

Activité 3.2.2

1–(d) ; 2–(c) ; 3–(a) ; 4–(b)

Activité 3.2.3

A

Voici une réponse possible :

> Monsieur Jourdain n'est pas un noble (ou gentilhomme) mais il est riche et bourgeois. Dans la société de l'époque, ces deux conditions étaient mutuellement exclusives. Monsieur Jourdain espère pouvoir s'acheter de l'instruction et des bonnes manières grâce à son argent.

B

1 L'importance et l'utilité de l'art dans la société.

2 Il est très conciliant. Pour Monsieur Jourdain, le dernier qui parle a toujours raison !

3 Parce qu'il veut ressembler aux gens de qualité, qui, selon le maître de musique, apprennent tous la musique.

4 Les répliques se répondent en écho et leurs structures sont symétriques : (« Il n'y a rien qui… » « Sans la… » « Tous les… »).

5 Selon les deux maîtres, la musique sert l'État et la danse sert l'Homme.

Activité 3.2.4

A

	Verbe 1	Forme du verbe	Verbe 2	Forme du verbe
1	apprenaient	indicatif imparfait	serait	conditionnel présent
2	réservais	indicatif imparfait	pourriez	conditionnel présent
3	inscrivais	indicatif imparfait	pourrions	conditionnel présent
4	voulais	indicatif imparfait	pourrions	conditionnel présent

B

La structure « si + verbe à l'indicatif imparfait » est utilisée avec la structure « [sujet] + verbe au **conditionnel présent** » pour exprimer une hypothèse et sa conséquence.

Activité 3.2.5

A

1 lisais

2 invitais

3 s'abonnait

4 avions

5 pouviez

B

1 irais

2 serions

3 serais

4 aurions

5 aurait

Activité 3.2.6

A

1 Si le cinéma n'existait pas, la vie serait bien triste.

2 Si la lecture au lit n'existait pas, je ne pourrais pas m'endormir.

3 Si le théâtre de rue n'existait pas, les mimes ne pourraient pas s'exprimer.

B

Voici deux phrases possibles :

1 Si le petit café du matin n'existait pas, je ne pourrais jamais commencer ma journée de travail.

2 Si l'Internet n'existait pas, nous serions obligés de réserver nos places de spectacle dans une agence.

Activité 3.2.7

A

1 La question mise en avant par le metteur en scène est : « qui est la véritable victime » de la pièce ? (Cette question fait référence au fait que dans la pièce, l'avare crie qu'il est victime d'un vol. L'auteur du texte suggère que ce sont peut-être les enfants d'Harpagon, relégués au deuxième rang des préoccupations de leur père après l'argent, qui sont les vraies victimes.)

2 « D'une part, nous avons un vieux monsieur riche, tyrannique et amoureux de celle que son fils adore, de l'autre des enfants qui l'agressent, des valets qui l'épient et des voisins qui le jalousent. »

B

Voici une réponse possible:

> Michel Bouquet : passion et finesse ; révèle avec puissance [...] toute la complexité du caractère du personnage.
>
> Juliette Carré : campe une Frosine haute en couleur.
>
> Benjamin Egner : déborde d'énergie.
>
> Sylvain Machac : déborde aussi d'énergie.
>
> Jacques Echantillon : réjouissant au possible.

Tous ces termes sont positifs.

Activité 3.2.8

A

1 « très charismatique »

2 « exaltante »

3 « chef-d'œuvre, ne déçoivent pas, passion »

B

Voici deux phrases possibles :

- Roberte Flaviart, pleine de talent, est réjouissante au possible et déborde d'énergie dans le rôle de Frosine.
- Le charismatique Bertrand Duplot campe un Cléante passionné et exaltant.

C

Litote : 2, 4, 6, 7

Hyperbole : 1, 3, 5

Activité 3.2.9

A

1–(c)–(iv) ; 2–(e)–(iii) ; 3–(d)–(ii) ; 4–(a)–(i) ; 5–(b)–(i)

B

> Aujourd'hui Jean-Vincent Brisa nous présente sa vision des *Fourberies de Scapin*, épurée et **poétique**. [...] Une pièce dynamique, rythmée, emportée par Louis Beyler, interprète de Scapin, **parfait** en valet **rusé** et ingénieux, toujours **prompt** à servir ses maîtres de la **meilleure** façon qui soit.

Activité 3.2.10

A

Les adjectifs que l'on associe le plus souvent avec Ionesco sont « comique » et « absurde » mais vous en avez peut-être coché d'autres.

B

Voici des réponses possibles :

1 Les dialogues sont répétitifs et mécaniques.

2 Les répliques se succèdent avec une prétendue logique, mais sont incohérentes. Elles ironisent sur les contenus des manuels de langue, par exemple, l'expression de l'heure.

Activité 3.2.11

A

1 Un comédien qui devait dire « institutrice blonde » a fait un lapsus et a dit « cantatrice chauve ».

2 Ionesco travaillait comme correcteur.

3 Un mois.

4 Vingt ans en moyenne.

B

1 C'est la première représentation de la pièce.

2 C'est la première reprise de la pièce.

3 C'est le nombre de représentations données jusqu'au 17 février 2007.

4 C'est le nombre de spectateurs depuis la première reprise, le 16 février 1957.

5 C'est le nombre de fois que Jacques Legré a joué la pièce en quarante-huit ans.

Activité 3.2.12

A

C'est plutôt un texte humoristique.

B

Un aphorisme est une courte maxime (*Petit Larousse*) ou une formule résumant un point de morale (*Petit Robert*).

Le texte d'Ionesco présente des exemples de formules courtes, logiques mais finalement absurdes (par exemple, « le moins bon est aussi mauvais que le pire »). Elles posent des questions pseudo-morales ou pseudo-philosophiques : « Est-ce qu'il y a des morts plus morts que d'autres morts ? » Ces formules courtes ne sont pas vraiment des aphorismes.

C

Meilleur/pire/moins/plus/aussi/davantage/pas plus (+ que).

Activité 3.2.13

A

1 La fin du film était **meilleure que** le début.

2 Nous allons au théâtre **moins souvent qu'**au cinéma.

3 On met **davantage de/plus de** spectateurs dans le Stade de France que dans le Théâtre de la Huchette.

4 Est-il vrai que les pièces de Cocteau sont **moins originales que** celles d'Anouilh ?

B

Voici la version originale :

> **3E VOIX** : Les vivants s'aperçoivent qu'en hiver il fait **moins** chaud qu'en été ; qu'en automne il pleut **plus** qu'en été ; que ce printemps-ci, il fait **meilleur** que le printemps dernier, que le ciel est **plus** clair, c'est-a-dire **moins** nuageux.
>
> **CHŒUR** : Généralement, c'est au printemps ou en été que les hommes [...] sont amoureux, **bien plus** qu'en hiver ou en automne.
>
> **1RE VOIX** : C'est parce qu'ils sont **moins** occupés car ils ont **plus** de beau temps.
>
> **2E VOIX** : Ils travaillent **moins**.

Activité 3.2.14

Voici une réponse possible :

> Personnellement, je suis d'accord avec Ionesco qui dit que si l'art n'existait pas, les sociétés seraient accablées par le poids des choses utiles qui les entourent. Mais je suis moins pessimiste que lui sur l'incompréhension humaine de l'art. S'il y avait, comme il l'imagine, des pays où on ne comprend pas l'art, où on ne rencontre que des robots, des esclaves et des gens malheureux, ces pays-là seraient connus ; les sociologues et les historiens auraient écrit des livres dessus. En fait, ces pays n'ont jamais existé. Les humains expriment toutes leurs passions par l'art, même dans des situations terribles, par exemple de dictature, parce que les vrais artistes ont plus d'énergie que les autres

pour faire passer leurs idées. Pour moi, les arts sont plus utiles que d'autres disciplines, comme les sciences ou la politique, parce qu'ils offrent davantage de façons de communiquer avec le public : par la beauté, par l'émotion, par l'ironie, ou, comme Ionesco a fait lui-même, par l'absurde.

Session 3

Activité 3.3.1

Voici des réponses possibles :

1 Le rock.

2 La musique des Andes.

3 La musique classique ou le klezmer.

4 La musique nord-africaine ou du Moyen-Orient.

Activité 3.3.2

A

1, 3, 5, 7, 8

B

1 troisième paragraphe

2 quatrième paragraphe

3 deuxième paragraphe

4 premier paragraphe

C

Voici des réponses possibles :

1 Parce que le traditionnel est souvent associé à l'ancien, alors que l'actuel est lié au présent.

2 Populaire, folklorique, folk, world.

3 L'alliance de la musique traditionnelle à d'autres styles musicaux permet à la première de se réinventer perpétuellement, sans renoncer à son propre héritage.

Activité 3.3.3

A

Voici un plan possible :

Introduction

« La musique adoucit les mœurs. » Est-ce que c'est vrai ? Effet des musiques différentes sur notre comportement et notre mode de vie.

Brève indication du plan que l'on va adopter.

Développement

1 Les musiques que l'on choisit (écouter une musique douce pour se calmer, écouter une musique énergique pour se donner de l'entrain, pratiquer un instrument de musique, aller à un concert...)

2 Les musiques que l'on subit (au téléphone, musique d'attente qui fait plutôt enrager que patienter ; musique d'ascenseur pour calmer les claustrophobes ; musiques d'ambiance dans les magasins, les lieux publics...)

Conclusion (et avis personnel)

La musique a un effet sur notre comportement et notre mode de vie mais l'effet obtenu n'est pas toujours l'effet souhaité...

B

Voici une introduction possible pour ce genre de rédaction :

La sagesse populaire nous enseigne que la « musique adoucit les mœurs ». Suffirait-il en voiture d'écouter de la musique douce pour devenir un conducteur patient et attentionné ? La musique hard rock, aurait-elle le même effet que l'opéra sur notre comportement ? Et la musique d'ambiance des grands magasins, nous pousserait-elle à être plus courtois envers les autres clients ou plutôt à consommer rapidement pour échapper aux nuisances sonores ? Quels effets la musique a-t-elle sur notre comportement et notre mode de vie ?

En premier lieu, j'aborderai le cas des musiques que l'on choisit d'écouter et décrirai ce qu'elles nous apportent de positif. En deuxième partie, je parlerai des musiques que l'on subit dans les situations diverses de notre vie quotidienne et décrirai leur effet sur notre comportement et notre mode de vie. Enfin, je conclurai en imaginant les conséquences que pourrait avoir l'absence de musique de notre vie et, en tout dernier lieu, je donnerai mon opinion personnelle sur la question.

Activité 3.3.4

1 plus ... que

2 plus ... plus

3 moins ... que

4 plus ... moins

Activité 3.3.5

Pour Stivell, **plus** on a de contact avec des musiques métissées, **plus** on se renforce. Mais pour les gens timorés, **plus** on rencontre l'autre, **plus** on se fond dans lui. Stivell prétend le contraire : pour lui, **moins** on rencontre l'autre, **plus** on s'appauvrit culturellement. À vrai dire, il pense que **moins** on a peur de la nouveauté, **plus** on est capable de maintenir l'originalité de sa propre culture.

Activité 3.3.6

A

Voici des réponses possibles :

1 Jeunes femmes, la jeunesse est courte.

2 Il faut se marier avant qu'il ne soit trop tard.

3 La jeune fille choisit son mari à ses risques et périls.

4 On marie les jeunes filles sans leur demander leur avis sur le futur mari.

B

Les extraits de ces chansons montrent que traditionnellement les femmes étaient censées se marier mais ne choisissaient pas leurs futurs époux et qu'elles pouvaient être battues par leurs maris.

C

Voici une réponse possible, tirée de la chanson originale :

> L'amant se plaint d'avoir été abandonné, la femme lui explique qu'elle a été mariée de force par sa mère à ce vieil homme. L'amant lui demande de ramasser ses vêtements et bijoux et de le suivre. La femme obéit et s'enfuit avec lui dans la nuit. (La suite que nous avons « imaginée » est la véritable suite de la chanson. Vous avez peut-être su imaginer une situation différente.)

D

Le père accepte que la fille se marie mais il la met en garde contre les dangers possibles. Voici le couplet suivant de la chanson originale :

> Marie-toi donc ma fille,
> Pour moi je ne t'en empêche pas,*
> Si t'es mal en ménage,
> À moi ne t'y plains pas !
>
> (*scandé en six syllabes : pour/moi/j't'en/n'em/pêche/pas)

Activité 3.3.7

A

	Verbe	Rêve/Realité?	Temps et mode
1	voudrais	rêve	(présent du conditionnel)
2	irais	rêve	(présent du conditionnel)
3	va	réalité	(présent de l'indicatif)

B

Voici les adjectifs utilisés de cette chanson traditionnelle :

Je voudrais être **accouchée**

Je voudrais être **vieille**

Je voudrais être **morte**

Et voici d'autres adjectifs possibles moins tristes !

Je voudrais être **riche**

Je voudrais être **noble**

Je voudrais être **puissante**

C

Les conditions de vie de ces femmes étaient très difficiles. La femme rêve en se disant : « si j'étais mariée, je n'aurais pas besoin de travailler durement ». Mais selon la chanson, mariée ou pas, cette femme doit toujours travailler durement et seule la mort mettra fin à son labeur.

Activité 3.3.8

A

Les points communs sont les suivants :

Points communs dans le contenu	Points communs dans la forme
• Des marins s'embarquent • Le voyage dure longtemps • Les vivres s'épuisent • On tire à la courte paille • On désigne un membre d'équipage • Un miracle se produit • Le membre d'équipage est sauvé	• Le temps des verbes (passé simple, passé composé) • Phrases répétées deux fois • Couplets de quatre phrases • Nombre de syllabes identiques dans les couplets

B

Dans la première chanson, la personne désignée par le sort s'en remet au ciel et fait une prière pour être sauvée. Un miracle se produit et la crise est résolue. Dans la deuxième chanson, la personne désignée accepte docilement le sort qui l'attend et c'est la chance, le hasard ou la providence qui résout la crise juste à temps.

Activité 3.3.9

A

1 Zachary Richard chante en français et en anglais.

2 Le titre de son premier album est *Cap enragé*.

3 Il a organisé avec d'autres personnes des concerts pour venir en aide aux musiciens de la Nouvelle-Orléans, victimes de l'ouragan Katrina.

4 Ses styles musicaux sont un mélange, un métissage de blues, de cajun, de country, de gospel, de jazz, de tambours indiens et de caraïbe.

5 Les thèmes abordés dans les textes de ses chansons vont du « coup de colère pour les baleines du Saint-Laurent qu'on pollue et décime », à « l'impuissance de Jésus [...] face aux massacres du Rwanda », en passant par « La Ballade de Jackie Vautour », « dépossédé de ses biens par l'État » et « de ses variations sur « La Liberté. »

6 Dans l'article il est comparé à Bob Dylan et à Neil Young.

B

1 Voici des exemples de faits objectifs indiscutables tirés du texte :

- Le Louisianais Zachary Richard possède une double carrière.
- [...] le demi-fermier qu'il a choisi d'être vit dans la ferme qu'il s'est construite au pied d'un coteau qui va jusqu'au Texas [...]
- En 1996, dans les bacs des disquaires débarquait ici un album de treize titres, *Cap enragé* [...]
- En novembre 2005, il était au premier rang de ceux (dont Francis Cabrel, l'initiateur) qui organisèrent des concerts [...]

2 Voici en gras des exemples d'opinions subjectives et discutables tirés du texte :

- Un **monument de talent** [...] qui devrait figurer **au panthéon des plus grands.** (Notez l'emploi du conditionnel)
- *Cap enragé* [...] et c'est **un chef-d'œuvre** qui allait **scandaleusement** passer à la trappe.
- Zachary Richard a continué à tracer sans sourciller son chemin de hobo fraternel.
- [...] citoyen d'une planète dont il respire et sent la fragilité **comme nul autre** [...]
- [...] c'est un **exemplaire** creuset alchimique où se fondent, s'entremêlent, se nourrissent les branches noueuses d'une complexe mangrove musicale [...]
- La couleur de voix si particulière du Zach', **juteusement** taillée à même la **magnifique langue métissée** de son pays [...]
- Mais c'est textuellement que le fleuve est **en majesté**.
- [...] c'est la même **force tellurique**. À laquelle participe Francis Cabrel, qui y va d'un **impeccable** duo sur « La Promesse cassée ».
- [...] cette forêt de mots à **la saveur organique**, le **lingot d'or**.
- [...] un **génial** auteur-compositeur-interprète **planant, à des années-lumière, au-dessus du commun.**

C

Voici une réponse possible :

Zachary Richard, chanteur et fermier de la Louisiane, a attiré l'attention du grand public en 1996 avec son disque intitulé *Cap enragé*. Il chante le rock en anglais et des chansons plus romantiques en français. Son adaptation de « Travailler, c'est trop dur » est devenue un classique. Depuis ces succès, il a continué sa carrière de chanteur. En 2005 il a été parmi les organisateurs de concerts à venir en aide aux musiciens de la Nouvelle-Orléans, victimes de l'ouragan Katrina. Sa musique est un mélange de nombreux styles parmi lesquels on peut trouver le blues, le cajun, la country, le gospel, le jazz, les tambours indiens et la caraïbe. De plus, sa voix a une couleur particulière reflétant sa langue métissée. Richard se dit concerné par la fragilité de la planète. Ses chansons parlent des baleines du Saint-Laurent, des massacres du Rwanda, de Jackie Vautour, « dépossédé de ses biens par l'État », de « La Liberté », et de « Mama Luna ».

Activité 3.3.10

A

1 C'est quelque chose que je ne peux pas faire.

2 J'espère vivre vieux.

3 Je joue ma vieille valse pour faire danser les gens/tout le monde.

B

1–(b) ; 2–(c) ; 3–(a)

C

Travailler, c'est trop dur

Chaque jour que moi j'vis, on m'demande de quoi j'vis.
J'dis que j'vis sur **l'amour**, et j'espère de viv' **vieux** !
Et je prends mon vieux ch'val, et j'attrape ma **vieille** selle
Et je selle mon vieux ch'val pour aller chercher ma **belle**.
Tu connais, c'est loin d'un **grand** bout d'là, de Saint-Antoine à Beaumont
Mais le long du grand Texas, j'l'ai cherchée **bien** longtemps.
Et je prends mon violon, et j'attrape mon archet,
Et je joue ma vieille valse pour faire **le monde** danser.
Vous connaissez, mes chers amis, la vie est bien trop **courte**
Pour se faire des soucis, alors... allons danser !

Activité 3.3.11

Voici des phrases possibles :

1 **Préférer** Abba à Édith Piaf me paraît surprenant.

2 **Venir** à 19 heures pour le concert, c'est leur objectif.

3 **Aller** au cinéma avec toi me fait très plaisir.

4 **Prendre** le temps d'écouter de la musique tous les jours est important.

5 **S'asseoir** pour prendre son déjeuner est préférable même si on n'a pas toujours le temps.

Activité 3.3.12

Voici des réponses possibles :

1 Les principales caractéristiques du slam sont les suivantes :

- C'est de l'« ora-littérature ».
- « Le slam a capella, c'est déjà de la musique » auquel on ajoute ensuite une « illustration sonore », c'est-à-dire de la musique.
- « On se sert des sons, des notes qu'on mélange à la poésie sans forcément qu'il y ait un rapport rythmique. »
- On ne pose pas ses textes sur de la musique, c'est la musique qui « épouse les mots, pour faire une sorte d'habillage sonore ».

2 « Ora-littérature » est un mot fabriqué sur le principe du « mot-valise » à partir de deux mots existants, ici « oral » et « littérature », pour en fabriquer un nouveau qui n'existe pas encore ! C'est une sorte de « trait

d'union » entre l'oralité et la littérature. Autrement dit, il s'agit d'un métissage de la littérature écrite et de la langue parlée.

3 La musique est secondaire. On la compose et on l'applique pour constituer un fond sonore pour les paroles, contrairement au rap et au hip-hop où l'on écrit des paroles après avoir composé la musique.

4 Selon lui, le slam se compare à la chanson à texte que l'on chantait dans les cafés, ou encore certaines chansons de Serge Gainsbourg. Le chanteur Georges Brassens, par exemple, écrivait d'abord ses textes. La musique venait ensuite.

5 À mon avis, cela signifie qu'il faut essayer de répondre à la violence langagière par des paroles d'apaisement ou de conciliation afin d'éviter que la situation ne dégénère.

Activité 3.3.13

Voici une réponse possible :

> En déclarant : « En Afrique, un vieillard qui meurt, c'est une bibliothèque qui brûle », Amadou Hampâté Bâ voulait dire que lorsqu'un vieux meurt, dans une société de tradition orale où l'on ne consigne pas par écrit son histoire, c'est tout un passé qui disparaît, y compris le nôtre. En effet, lorsque les anciens disparaissent, nous perdons à jamais des témoins de notre propre existence.
>
> Cet état de fait s'applique en effet au domaine des musiques traditionnelles et des traditions orales. Heureusement, maintenant nous avons l'écriture et des moyens électroniques pour garder précieusement les sons et les images pour donner des preuves à notre existence.

Session 4

Activité 3.4.1

1–(b) ; 2–(c) ; 3–(a)

Activité 3.4.2

A

1 Vrai.

2 Vrai.

3 Faux. (La Nouvelle Vague n'a pas favorisé l'émergence de femmes cinéastes : « la Nouvelle Vague, qui portait cependant un regard inédit sur la société, fut une occasion manquée pour l'émergence des femmes cinéastes »)

4 Faux. (L'engagement politique n'est pas le thème principal des réalisatrices françaises : « Aujourd'hui, l'engagement politique n'est plus que l'une des multiples facettes du cinéma au féminin »)

5 Vrai.

B

1 sont parvenues (indicatif passé composé) ; effectuer (infinitif présent)

2 poussa (indicatif passé simple) ; prendre (infinitif présent)

3 peut (indicatif présent) ; regrouper (infinitif présent)

Quand deux verbes se suivent, le second est à l'infinitif.

Activité 3.4.3

A

1 Quand j'**ai songé à** faire ce film, j'ai téléphoné à un ami scénariste.

2 Sans hésiter une seconde, le scénariste **a décidé de** m'aider.

3 Généralement les films d'Agnès Jaoui **réussissent à** faire salle pleine.

4 Il a lu tous les scénarios et il **a choisi d'**utiliser le meilleur d'entre eux.

5 Hier, ils **ont tenté de** pénétrer dans la salle sans payer leur place de cinéma.

Activité 3.4.4

A

Personnages	Profession ou activité
Lolita Cassard	Elle apprend le chant
Étienne Cassard	Auteur
Pierre Miller	Écrivain
Sylvia Miller	Professeur de chant

B

Personnages	Trait de caractère ou habitude
Lolita Cassard	Elle en veut au monde entier (elle voudrait être belle).
Étienne Cassard	Il se regarde beaucoup lui-même et se sent vieillir.
Pierre Miller	Il doute de jamais rencontrer le succès.
Sylvia Miller	Elle doute de son talent et de celui de son élève, Lolita.

C

Sylvia Miller apprend que Lolita est la fille d'Étienne Cassard. Elle se rend compte qu'elle peut flatter l'écrivain célèbre en louant les aptitudes de sa fille, Lolita, et obtenir ainsi l'influence du père pour avancer la carrière de son mari.

Activité 3.4.5

A

Voici une réponse possible :

1 Un mousquetaire, vêtu comme au XVIIe siècle, tenant une épée dans sa main gauche, regarde quelque chose dans une longue-vue. Il a l'air surpris.

2 On est dans une clairière, bordée d'arbres. Au loin, on voit un cavalier qui approche au galop. Au milieu du dessin, une belle jeune femme est attachée à l'un des arbres. Elle semble crier.

3 Un homme portant un chapeau de mousquetaire et tenant son épée à la main nous tourne le dos. Il est à cheval. On ne voit que son chapeau à plume et sa main, qui brandit l'épée. Il fait face à la jeune femme attachée, au loin.

4 Le mousquetaire est arrivé dans la clairière. Il est en train de délivrer la jeune femme de ses liens, grâce à son épée.

B

Les sentiments des personnages mais aussi la position de la caméra.

Activité 3.4.6

1 Les personnes et les raisons sont :

(a) Ladislav Starevitch : après la Première Guerre mondiale, Paris était la capitale mondiale des artistes.

(b) John Berry : « chasse aux sorcières » aux USA sous McCarthy.

(c) Raul Ruiz : fuit le Chili, la France diffuse une idéologie tiers-mondiste.

(d) Roman Polanski : aucune raison n'est donnée.

2 La raison financière ou le « système d'aide et de coproduction exceptionnel » développé par la France. On peut citer aussi la raison artistique : la « reconnaissance du réalisateur comme auteur, la liberté de création et le sérieux des techniciens ».

Activité 3.4.7

Bamako appartient à la catégorie 5 ; il s'agit d'une fiction (avec certains aspects d'un documentaire).

Activité 3.4.8

1 (a) Tourner dans la maison de son père ; liée au souvenir de discussions passionnées sur l'Afrique.

(b) Parler au nom des autres, face à la gravité de la situation africaine ; urgence à évoquer l'hypocrisie du Nord vis-à-vis des pays du Sud.

2 L'impossibilité de remettre en question le pouvoir des plus forts ; le fait que le destin de centaines de millions de gens est scellé par des politiques décidées en dehors de leur univers.

3 Elle rend l'impossible vraisemblable (comme ce procès des institutions financières internationales).

4 C'est une métaphore, pour montrer que les cow-boys ne sont pas tous blancs et que l'Occident n'est pas seul responsable des maux de l'Afrique.

5 Ne pas interrompre une scène, ni demander à un témoin de reprendre sa phrase (on laissait le président du tribunal et les avocats écouter les témoignages puis intervenir comme ils l'entendaient).

6 Ceux qui n'ont pas droit à la parole.

Activité 3.4.9

A

Les personnages	Marius et Jeannette ; deux autres « couples »
Les lieux	usine désaffectée ; courette typique de l'habitat traditionnel du Sud
Les professions	ouvriers
L'histoire	blessés par... la vie ; renaissance de leur capacité à être heureux
Les thèmes abordés	Castro ; Le Pen ; la déportation ; les grèves ; le football ; le favisme

B

Semblables	Différents
Âge (quarante ans)	Marius habite dans une usine désaffectée immense, mais Jeannette habite dans une courette typique.
Condition sociale (ouvriers)	Marius vit seul, mais Jeannette vit entourée de voisins.
Quartier (l'Estaque)	
Psychologie (blessés par la vie)	

Activité 3.4.10

A

1. (a) « Mais elle est barjo. »

   (b) « aller en tôle »

   (c) « je me barre »

2. (a) la révolte ; (b) l'insulte ;
   (c) la culpabilisation ; (d) la provocation ;
   (e) la gratitude ; (f) l'audace

B

Voici une réponse possible :

> Marius et Jeannette se savent appartenir au même milieu social, celui des ouvriers. C'est un tutoiement de complicité.

C

> Marius se rend compte que Jeannette appartient comme lui au milieu des démunis et qu'il existe une complicité de classe entre eux. Il se sent peut-être un peu culpabilisé (grâce à la stratégie de Jeannette). De toute façon, Jeannette n'a finalement rien volé.
>
> Une autre réponse est qu'il vient peut-être d'avoir un coup de foudre pour elle.

Activité 3.4.11

A

1–(d) ; 2–(a) ; 3–(c) ; 4–(b)

B

1. « Y » remplace « les histoire d'amours ». (Je ne crois pas aux histoires d'amour.)
2. « En » remplace « la vie n'est pas comme cela ». (Je suis conscient du fait que la vie n'est pas comme cela.)
3. « En » ne remplace rien, c'est une expression idiomatique « en savoir long sur... ».

Activité 3.4.12

1. Je suis fatiguée de travailler tous les week-ends, j'**en** ai marre, je n'**en** peux plus !
2. Ce n'est pas lui qui a cassé la vaisselle, il n'**y** est pour rien !
3. De l'aïoli, on **en** mange beaucoup à Marseille.
4. Pour préparer la bouillabaisse, le chef s'**y** connaît, faites-lui confiance !

Activité 3.4.13

A

C'est un document court qui se lit d'un seul coup d'œil. C'est une sorte de résumé du film qui peut être utilisé pour intéresser un producteur potentiel ou pour faire venir le public dans une salle.

B

Le synopsis ne nous raconte pas la fin du film.

Activité 3.4.14

Voici le synopsis original :

> ***Marius et Jeannette***
>
> Les amours de Marius et Jeannette qui vivent dans les quartiers Nord de l'Estaque à Marseille. Marius vit seul dans une cimenterie désaffectée qui domine le quartier, gardien de cette usine en démolition. Jeannette élève seule ses deux enfants avec un maigre salaire de caissière. Leur rencontre ne sera pas simple car, outre les difficultés inhérentes à leur situation sociale, ils sont blessés par la vie.
>
> (AlloCiné, « *Marius et Jeannette*, Synopsis », 1997, www.allocine.fr/film/fichefilm_gen_cfilm=66529.html, dernier accès le 1 septembre 2008)

Activité 3.4.15

A

Voici une réponse possible pour le film *Marius et Jeannette* :

Lieu(x)	L'Estaque, au nord de Marseille ; Petite maison, cour intérieure et partagée ; Cimenterie vouée à la démolition.
Personnage(s) (principal/ux et secondaire(s))	principaux : Jeannette (élève seule ses deux enfants) ; Magali et Malek, les deux enfants de Jeannette ; Marius, un peu mystérieux secondaires : Justin, instituteur retraité et beau parleur ; Caroline, ancienne déportée, militante communiste ; Monique, énergique, toujours en train de gronder Dédé, son mari ; M. Ebrard, le chef de Jeannette (avant son renvoi).
Intrigue(s)	Jeannette rencontre Marius alors qu'elle tente de voler de la peinture entreposée dans une cimenterie. Le grand amour se déclare entre Marius et Jeannette. Un jour, Marius ne vient plus et s'isole dans sa cimenterie.
Action(s)	Jeannette est renvoyée du supermarché où elle était caissière. Marius apporte les pots de peinture chez Jeannette, repeint la maison et s'y installe peu après. Marius disparaît. Justin et Dédé le retrouvent et lui demandent des explications.
Dénouement	Marius confesse ce qui le ronge (sa famille perdue) ; Justin et Dédé ramènent Marius en pleine nuit chez Jeannette. La crise est passée et l'Estaque a retrouvé son goût de vivre.

B

Voici l'histoire complète du film *Marius et Jeannette* :

À l'Estaque, faubourg populaire du nord de Marseille, Jeannette élève seule ses deux enfants, Magali et Malek. Depuis le départ du père de sa fille et la mort accidentelle de celui de son fils, elle a oublié ce que signifie la présence d'un homme auprès d'elle. Sa petite maison donne sur une cour partagée avec ses voisins et amis : Justin, instituteur retraité et beau parleur, qui apprécie la toujours belle Caroline, déportée dans sa jeunesse, militante communiste envers et contre tout, et cuisinière émérite. Il y a aussi l'énergique Monique, toujours en train de houspiller Dédé, son mari lymphatique.

Alors qu'elle tente de dérober de la peinture entreposée dans une cimenterie vouée à la démolition, et qui domine l'Estaque, Jeannette affronte le gardien des lieux, Marius, un grand gaillard un peu mystérieux. Non seulement il lui apporte les pots de peinture chez elle, mais il repeint la maison et s'y installe peu après. Car le grand amour s'est déclaré entre eux, à la joie de tous, enfants et voisins, et cela aide Jeannette à supporter un coup dur : son renvoi du supermarché où elle était caissière, après un accrochage avec son chef, M. Ebrard.

La communauté adopte Marius et le temps passe, entre parties de rire, confidences, entraide, espoirs et repas préparés ensemble. Mais, quand tout semble aller au mieux, Marius ne vient plus et s'isole dans sa cimenterie. Comme Jeannette perd toute vitalité, Justin et Dédé passent à l'action. Ils vont demander des explications à Marius et, après une cuite mémorable, suivie d'une bagarre générale dans un bar, Marius confesse ce qui le ronge : l'accident où il perdit femme et enfants et sa peur de reconstruire un foyer. Justin et Dédé ramènent en pleine nuit Marius à Jeannette, l'attachant au lit pour qu'il ne puisse plus fuguer. La crise est passée et l'Estaque a retrouvé son goût de vivre.

(Alice/Telecom Italia, « *Marius et Jeannette*, L'histoire complète », 1997, http://cinema.aliceadsl.fr/film/histoire/default.aspx?filmid=FI009069, dernier accès le 1 septembre 2008)

Acknowledgements

Grateful acknowledgement is made to the following sources for permission to reproduce material in this book:

Text

Page 15: Claeyman, R., 'Édito', www.mjcwasquehal.com; *page 16*: Claeyman, R., 'Règlement intérieur', www.mjscwasquehal.com; *page 20*: 'Fais graff à mon conteneur!', Sillage 127, December 2007–January 2008, www.mairie-brest.fr; *pages 22–3*: Marteel, C., 'Pour Nazeem, "le graff est une vraie discipline"', *Ouest France,* 18 April 2006, www.ouest-france.fr; *pages 31–2*: '*L'Avare,* Théâtre municipal de Grenoble Saison 2007–2008', © 2007, Théâtre municipal de Grenoble; *page 33*: '*Les Fourberies de Scapin, Porgy and Bess* and *L'Avare,* Théâtre municipal de Grenoble Saison 2007–2008', © 2007, Théâtre municipal de Grenoble; *page 34*: '*Les Fourberies de Scapin,* Théâtre municipal de Grenoble Saison 2007–2008', © 2007, Théâtre municipal de Grenoble; *pages 37–8*: Marmande, F., 'Cinquante ans de calvitie au Théâtre de la Huchette', *Le Monde,* 18 February 2007; *pages 53–4*: Théfaine, J., 'Zachary Richard: Lumière dans le noir', June 2007, www.chorus-chanson.fr; *page 55 and page 91*: 'Travailler, c'est trop dur', arrangement and additional lyrics by Zachary Richard, original music and lyrics: traditional Cajun, © 1977 by Éditions Marais Bouleur; *pages 57–8*: Zergane, M., 'Poète peul amoureux: Interview de Souleymane Diamanka', www.evene.fr; *pages 61–2*: Garbarz, F., 'Le cinéma français au féminin', *Label France,* www.diplomatie-gouv.fr; *pages 66–7*: Luton, M.-C., 'La France, terre d'accueil du cinéma étranger', *Label France,* www.diplomatie-gouv.fr; *pages 69–70*: ARTE '*Bamako,* la cour: Entretien avec Abderrahmane Sissako', from www.bamako-film.com, courtesy of Archipel 33: Film *Bamako* by Abderrahmane Sissako; *page 71*: Guédiguian, R., et Milesi, J., '*Marius et Jeannette,* Un conte de l'Estaque', http://archives.arte-tv.com, Agat Films & Cie / Ex Nihilo; *pages 72–3*: Scénario de *Marius et Jeannette,* http://archives.arte-tv.com, Agat Films & Cie / Ex Nihilo; *page 74*: Guédiguian, R., 'Entrevue avec Robert Guédiguian à propos de *Marius et Jeannette*', http://archives.arte-tv.com, Agat Films & Cie / Ex Nihilo; *page 96–7*: '*Marius et Jeannette,* L'histoire complète', http://cinemal.aliceads/fr/film/histoire.

Illustrations

Front cover: © Directphoto.org / Alamy

Page 5: © Xavière Hassan; *page 7*: © Xavière Hassan; *page 8*: © Xavière Hassan; *page 10*: © Roger Viollet / Rex Features; *page 13*: © Elodie Vialleton; *page 14 (top, centre left, centre right and bottom left)*: © Xavière Hassan; *page 14 (bottom right)*: © Jami Garrison / iStockphoto; *page 19 (top, middle and bottom)*: © Xavière Hassan; *page 24 and page 83*: Téhem, *Malika Secouss, tome 1: Rêves partis*, 1999, Éditions Glénat; *page 25*: © Xavière Hassan; *page 27*: The Art Archive / Bibliothèque des Arts Décoratifs, Paris / Gianni Dagli Orti; *page 31*: © Xavière Hassan; *page 39*: © Xavière Hassan; *page 43*: © Elodie Vialleton; *page 44 (top left, top right, bottom left, bottom right)*: © Xavière Hassan; *page 51*: © Arthur Kwiatkowski / iStockphoto; *page 60*: © Hélène Pulker; *page 75*: © Xavière Hassan.

Every effort has been made to contact copyright holders. If any have been inadvertently overlooked, the publishers will be pleased to make the necessary arrangements at the first opportunity.